VERLAG FÜR DEUTSCH

GRUNDKURS DEUTSCH
von Roland Schäpers, Renate Luscher
und Manfred Glück

FÜR DEN LERNER

1. *Lehrbuch* (einsprachig) – Best.-Nr. 101
2. *Grammatisches Arbeitsbuch* in verschiedenen Sprachfassungen
   einsprachige Fassung (Best.-Nr. 124)
   zweisprachige Fassung mit Glossar: Deutsch-Arabisch, -Englisch,
   -Finnisch, -Französisch, -Griechisch, -Italienisch, -Niederländisch,
   -Norwegisch, -Persisch, -Polnisch, -Spanisch, -Türkisch
3. *Glossare* Albanisch, Dänisch, Japanisch, Kroatisch, Portugiesisch, Rumä-
   nisch, Russisch, Slowakisch, Slowenisch, Tschechisch, Ungarisch
4. *2 Cassetten* mit Lehrbuchtexten – Best.-Nr. 103
5. *2 Cassetten* mit Sprechübungen aus dem Arbeitsbuch – Best.-Nr. 125

FÜR DEN LEHRER

1. *Lehrerhandbuch* mit Tests und Hörverständnisdialogen – Best.-Nr. 102
2. *1 Cassette* mit Hörverständnisdialogen – Best.-Nr. 104
3. *Arbeitstransparente* – Best.-Nr. 105

| 17. 16. 15. 14. | Die letzten Ziffern bezeichnen |
| 1998 97 96 95 94 | Zahl und Jahr des Druckes |

Alle Drucke dieser Auflage können, da unverändert, nebeneinander
benutzt werden.
1. Auflage
© 1980 VERLAG FÜR DEUTSCH
Max-Hueber-Straße 8, D-85737 Ismaning/München
Layout: Dieter Rauschmayer
Umschlaggestaltung: Herbert Horn
Satz und Reproduktion: Layer, Ostfildern
Druck und Bindung: Ludwig Auer GmbH, Donauwörth
Printed in Germany
ISBN 3–88532–101–7

Inhalt

Hotel Tanne, Braunlage/Harz

Hotel Vier Jahreszeiten, München

Kur- und Sporthotel Kärnten
Bad Hofgastein/Österreich

Hotel Friedegg, Wildhaus/Schweiz

Im Hotel

1.

Guten Tag. Mein Name ist Schröder.
Ich habe ein Zimmer reserviert.

Sind Sie Herr Klaus Schröder
aus Hamburg?

Nein, ich bin aus Köln. Ich heiße
Helmut Schröder.

Sie haben Nummer drei, Herr Schröder.
Bitte, hier ist der Schlüssel.

2.

Bitte, habe ich Post?

    Wie ist Ihr Name?

Neumann, Ingrid Neumann
aus Düsseldorf. Ich habe
Zimmer Nummer zwei.

Moment, bitte.
Ja, Frau Neumann, hier
ist ein Brief für Sie.

Danke. Auf Wiedersehen.

3.

Bitte, wo ist der Lift?
Und die Bar?
Und wo ist das Telefon, bitte?

Geradeaus.
Dahinten links.
Hier rechts.

6   sechs

Übungen

1. Wie ist Ihr Name?
   Mein Name ist . . . .

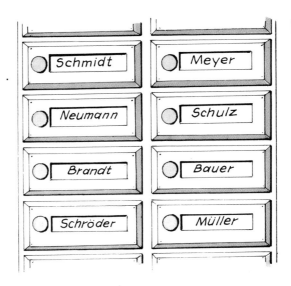

2. Sind Sie Frau Ingrid Neumann?
   Nein, ich heiße . . . .

3. Sind Sie Herr Klaus Schröder?
   Nein, ich heiße . . . .

4. Sind Sie aus Hamburg,
   Herr . . . ?
   Nein, ich bin aus . . . .

5. Sind Sie aus Düsseldorf,
   Frau . . . ?
   Nein, ich bin aus . . . .

6. Woher sind Sie, Frau . . . ?
   Ich bin aus . . . .

7. Woher sind Sie, Herr . . . ?
   Ich bin aus . . . .

8. Sind Sie aus . . . ?

Konversation

1.

geradeaus   rechts   links

2.

Bitte, wo ist das Hotel
Stadt Hamburg?
Geradeaus.
Danke.

3.

Wo ist das Telefon, bitte?
Das Telefon? Dahinten links.

4.

Wo ist der Lift?
Hier rechts.

Anmeldung

	Zimmer-Nr.	Ankunft	
	Pers.-Zahl	Abreise	

Name Nom	Vorname Christianname / Prénom	Beruf / Titel Profession

Wohnort Residence / Domicile	Straße Nr. No, Street / No, Rue	Nationalität Nationality / Nationalité

( )
Leitzahl

Geburtsdatum Date of birth Date de naissance	mit / ohne Ehefrau with / without Mrs avec / sans Mme.	Vorname Christian-name Prénom	mit Kindern (Zahl with children (number) avec enfants (nombre)

Unterschrift / Signature

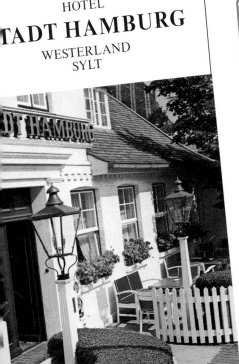

HOTEL
TADT HAMBURG
WESTERLAND
SYLT

HOTEL DREI LÖWEN MÜNCHEN

Schillerstraße 8 · 80336 München

Telefon (089) 59 55 21 · Telex 5 23 867

Bremen, Marktplatz mit Rathaus und Dom

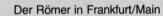
Der Römer in Frankfurt/Main

1. Bitte, wo ist ... ?

A: Bitte, wo ist die Beethovenstraße?
B: Tut mir leid, das weiß ich nicht.

A: Wissen Sie, wo die Beethovenstraße ist?
C: Nein, ich habe keine Ahnung. Ich bin
   nicht von hier.

2. Sind Sie von hier?

A: Entschuldigung, sind Sie von hier?
D: Ja?
A: Wissen Sie, wo die Beethovenstraße ist?
D: Die Beethovenstraße? Ja, das weiß ich. Kennen Sie das
   Krankenhaus?
A: Nein.
D: Also, das ist ganz einfach. Gehen Sie geradeaus, dann ist dahinten
   das Krankenhaus, dann links bis zum Rathaus, und dann rechts.
A: Danke. Ist das weit?
D: Ja, ziemlich. Nehmen Sie ein Taxi.
A: Vielen Dank. Auf Wiedersehen.

3. Herr Meyer und der Taxifahrer

HM: Sind Sie frei?

T: Ja. Wohin, bitte?

HM: Fahren Sie in die Beethovenstraße, Nummer zwanzig.

T: Das ist ein Hochhaus, nicht? Das kenne ich.

HM: Ich weiß nicht, ich bin nicht von hier.

T: So, hier ist die Beethovenstraße. Nummer zwanzig ist gegenüber. – Acht Mark, bitte.

4. Herr Meyer und der Portier

P: Firma Neumann? Die kenne ich nicht. Die ist nicht hier. – Moment mal, die ist gegenüber, Nummer dreiundzwanzig.

HM: Vielen Dank.

Übungen

1. Sind Sie von hier?   Sind Sie aus Köln?   Sind Sie aus . . . ?
   Ja, ich bin von hier.   Nein, ich . . . .   Ja, ...
   Nein, ...
   . . . .   Nein, ...
                                          . . . .

Vancouver, Ottawa, Montreal, isco, Chicago, New York, Angeles, uston, Washington, Miami, Caracas, Bogota, Quito, Lima, Brasilia, La Paz, Rio de Janeiro, Asunción, São Paulo, Santiago, Montevideo, Buenos Aires

Oslo, Helsinki, Leningrad, Nowosibirsk, London, Moskau, Paris, Berlin, Warschau, Madrid, Rom, Athen, Peking, Ankara, Kabul, Tokio, Neu Delhi, Algier, Tripolis, Teheran, Shanghai, Rabat, Kairo, Tel Aviv, Bombay, Kalkutta, Hongkong, Riad, Aden, Manila, Dakar, Khartum, Bangkok, Lagos, Singapur, Nairobi, Kinshasa, Djakarta, Tananarive, Johannesburg, Sydney, Canberra, Melbourne, Kapstadt, Wellington

2. Wissen   Wissen Sie,
   Sie, wo das Rathaus ist?   wo die Mozartstraße ist?
   Ja, ...   Ja, ...
   Nein, ...   Nein, ...

3. Fahren Sie in die . . . .
   Ist das . . . ?
   Nein, ...

> Schubertstraße

> Tolstoistraße

4. Kennen Sie das Krankenhaus?   Kennen Sie
   Ja, ...   die Firma Neumann?
   Nein, ...   Ja, ...
                                         Nein, ...

5. Nehmen Sie das Taxi?   Schillerstraße
   Ja, ...   Mozartstraße
   Nein, ...

> Einsteinstraße

Zahlen

1.

0	1	2	3	4	5	6	7	8	9	10
null	eins	zwei	drei	vier	fünf	sechs	sieben	acht	neun	zehn

11	12	13	...	16	17	...	20
elf	zwölf	dreizehn		sechzehn	siebzehn		zwanzig

21	22	23	...	30
einundzwanzig	zweiundzwanzig	dreiundzwanzig		dreißig

40	50	60	70	80	90	100
vierzig	fünfzig	sechzig	siebzig	achtzig	neunzig	hundert

2.

Hier ist Post für Zimmer Nummer
11, 14, 17, 19, 20, 7, 9, 13,
15, 18, 24, 39, 42, 51, 68,
79, 87, 99 und 100.

3. Ein Telefongespräch
(Frau Müller und die Telefonistin)

FM: Hier ist Zimmer Nummer sieben.
Bitte ein Gespräch. Die Nummer
ist null acht neun – sechs null –
vier eins – fünf sechs.

T: Zimmer sieben, wie ist Ihr
Name, bitte?

FM: Müller, Renate Müller.

T: Und die Nummer ist 089 –
60 41 56?

FM: Ja.

T: Moment, bitte. – Frau Müller,
Ihr Gespräch.

Bitte, wo ist … ?

1.

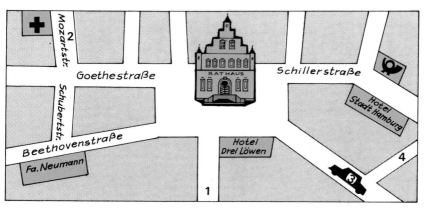

1. Wissen Sie, wo die Post ist?
2. Zum Rathaus? Ja, das ist … … .
3. Das Krankenhaus? Ja, das kenne ich. Fahren Sie … … .
4. Die Mozartstraße? … … Ich bin nicht von hier.
   (rechts, links, geradeaus, weit,
   ziemlich weit)

2.

Bitte, wo ist die Post?
Das Rathaus, ist das weit?
Die Mozartstraße, bitte!
Kennen Sie das Hotel
Stadt Hamburg?

3.

Taxi! – Das ist mein Taxi!
Nein, das ist mein Taxi!
Haben Sie das reserviert?
Taxi bitte!!!

Tut mir leid, ich bin nicht
frei!

Die Bahn fährt immer

1. Herr Müller telefoniert mit der Lufthansa

LH: Lufthansa, guten Tag.

HM: Grüß Gott. Bitte, haben Sie morgen vormittag eine Maschine nach Bonn?

LH: Wir haben drei, eine um sechs Uhr fünfzehn, eine um zehn, und eine um elf Uhr zwanzig. Wann wollen Sie fliegen?

HM: Ich nehme die um zehn Uhr.

LH: Eine Person?

HM: Ja.

LH: Einfach?

HM: Nein, hin und zurück.

LH: Wann fliegen Sie zurück?

HM: Das weiß ich noch nicht.

LH: Also open. Wie ist Ihr Name, bitte?

HM: Müller, Hans Müller.

LH: Und Ihre Telefonnummer, Herr Müller?

HM: Vier acht – sieben sechs – drei eins.

LH: Ihr Ticket ist am Schalter sieben, Herr Müller.

HM: Vielen Dank. Auf Wiederhören.

2. Im Flughafen

Um neun nimmt Herr Müller den Bus zum Flughafen. Er geht zum Schalter sieben. Die Stewardeß telefoniert gerade.
„Tut mir leid", sagt sie, „wir fliegen heute nicht. Nebel!"

Herr Müller trinkt einen Kaffee.

Dann nimmt er ein Taxi und fährt nach Hause.

3. Herr Müller und Herr Schmidt telefonieren

HM: Hier ist Müller. Guten Tag, Herr Schmidt. Ich bin noch in München. Ich komme morgen nachmittag.

HS: Gut. Ich komme zum Flughafen. Nehmen Sie die Ein-Uhr-Maschine?

HM: Nein, ich nehme den Zug. Ich bin um zwei am Hauptbahnhof.

Übungen

1. Bitte, haben Sie morgen eine
   Maschine nach Köln (Wien,
   Zürich ...)?
   Ja, wir haben eine um .... .
   Ich nehme die ... .
   Wann ist die in ... ?
   Die ist um ... in ... .

2. Wohin wollen Sie fliegen?
   Ich will nach ... fliegen.
   Wann wollen Sie fliegen?
   Ich will um ... fliegen.
   Wann sind Sie in ...?
   Ich bin um ... in ... .

3. Wohin fliegt die SWISSAIR?
   Die SWISSAIR fliegt nach .... .

Von/From/De	Frankfurt
Nach/To/A	Köln
	09.45 – 10.30
	13.20 – 14.05
	21.25 – 22.05
Nach/To/A	Wien
	09.05 – 10.25
	12.50 – 14.10
	21.05 – 22.25
Nach/To/A	Zürich
	09.20 – 10.15
	16.30 – 17.25
	20.50 – 21.45

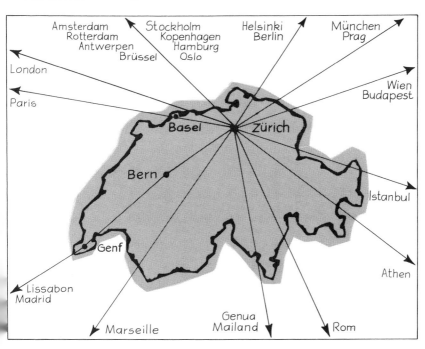

1. Die Uhrzeit

A: Bitte, wann geht der Zug
   nach Bremen?

B: Um zehn Uhr dreißig. –
   Halb elf!

A: Und wie spät ist es jetzt?

B: Zehn Uhr zwanzig.

A: Wie bitte?

B: Zwanzig nach zehn.

Viertel
vor

Viertel
nach

60 Minuten
   = eine Stunde
30 Minuten
   = eine halbe Stunde
15 Minuten
   = eine Viertelstunde

2. Beispiele

12 Uhr 5 = 5 (Minuten) nach zwölf
13 Uhr 10 = zehn nach eins
14 Uhr 15 = Viertel nach zwei
15 Uhr 20 = zwanzig nach drei oder
            zehn vor halb vier
16 Uhr 25 = fünf vor halb fünf
17 Uhr 30 = halb sechs
18 Uhr 35 = fünf nach halb sieben
19 Uhr 40 = zwanzig vor acht oder
            zehn nach halb acht
20 Uhr 45 = Viertel vor neun oder
            dreiviertel neun
21 Uhr 50 = zehn vor zehn
22 Uhr 55 = fünf vor elf
23 Uhr   = elf Uhr
24 Uhr   = zwölf Uhr (nachts)
 0 Uhr 5 = fünf nach zwölf (nachts)

3.

Wann wollen Sie fliegen? – Ich will um . . . fliegen.

Wir fliegen heute
             heute vormittag
             heute nachmittag
             morgen   nicht.

Wann sind Sie in Bonn?
               am Hauptbahnhof?
               am Flughafen?

Konversation

1. Eine Verabredung am Telefon
(Herr Meyer und Herr Baumann)

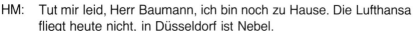

HM: Tut mir leid, Herr Baumann, ich bin noch zu Hause. Die Lufthansa fliegt heute nicht, in Düsseldorf ist Nebel.

HB: Kommen Sie morgen?

HM: Ja, morgen nachmittag. Ich nehme den Zug. Moment, der geht um sieben, nein, den nehme ich nicht. Ich nehme den um zehn, dann bin ich um eins in Hannover.

HB: Um dreizehn Uhr?

HM: Ja, um dreizehn Uhr, und dann bin ich um zwei im Hotel Stadt Köln.

HB: Kennen Sie das Restaurant am Rathaus?

HM: Ja, das kenne ich.

HB: Gut, da bin ich um Viertel nach zwei.

HM: Bis morgen, Herr Baumann. Auf Wiedersehen.

2. Im Hauptbahnhof

A: Bitte, wann geht morgen vormittag ein Zug nach Hamburg?

B: Um acht Uhr zwanzig.

A: Und wann ist der da?

B: Um neun Uhr dreißig.

3. Wie spät ist es?

A: Bitte, wissen Sie, wie spät es ist?

B: Ja, Moment mal. – Wo ist denn meine Uhr?

A: Vielleicht zu Hause?

B: Na hoffentlich!

Restaurant bei Hamburg

Gasthaus in Oberbayern

1. Die Mittagspause

Um zwölf hat Herr Müller Hunger.
„Gibt es hier ein gutes Restaurant?"
fragt er Herrn Schmidt.
„Hier in der Nähe ist keins. Wir
nehmen meinen Wagen und fahren
in die ‚Krone'. Aber wir müssen
einen Tisch reservieren.
Ich rufe an ... –
Bitte einen Tisch für zwei Personen für Viertel
nach zwölf. Auf den Namen Schmidt."

2. Im Restaurant
(Herr Müller, Herr Schmidt und der Ober)

„Wir haben heute schönen Rehbraten mit Rotkraut", sagt der Ober.
„Gut, den nehme ich", sagt Herr Schmidt.
„Haben Sie auch Fisch? Vielleicht eine Forelle? Ich esse kein Fleisch."
„Leider nicht. Wir haben heute keinen Fisch.
Möchten Sie vielleicht ein Omelett mit Champignons?"
„Ja gut, das nehme ich."
„Und was trinken Sie?" fragt der Ober.
„Ich möchte ein schönes Pils", sagt Herr Schmidt.
„Sie auch eins, Herr Müller?"
„Nein danke, kein Bier. Ich nehme ein Mineralwasser."

3. Im U-Bahnhof

A: Bitte, können Sie mir helfen? Ich weiß nicht, wie man das hier macht.
B: Wo wollen Sie denn hin?
A: In die Innenstadt.
B: Das kostet zwei Mark hin und zurück. Haben Sie ein Zweimarkstück?
A: Nein.
B: Ich habe leider auch keins. Gehen Sie zum Schalter, da können Sie wechseln.

4. In der Post

A: Ich möchte nach Rom telefonieren. Hier ist die Nummer.
B: Sie können selbst wählen. Zelle zwei.
A: Wieviel kostet das?
B: Augenblick, bitte! – Eine Minute kostet zwei Mark.

Übungen

1. das Hotel, das Krankenhaus, das Rathaus,
   das Restaurant, das Taxi, das Telefon

   Gibt es hier ein Hotel?
   Ja, es gibt eins.
   Nein, es gibt keins.
   Gibt es hier ein ... ?

2. die Bar, die Post, die Telefonzelle

   Gibt es hier eine Bar?
   Ja, es gibt eine.
   Nein, ...
   Gibt es hier eine ... ?

3. der Flughafen, der Hauptbahnhof, der Lift
   Gibt es hier einen Flughafen?
   Ja, es gibt ... .
   Nein, ...

4. Kennen Sie hier ein Hotel?
                     ein Krankenhaus?
                     ein Restaurant?
                     eine Bar?   Ja, ich kenne ... .
                                    Nein, ...

5. Möchten Sie ein Omelett?
                ein Bier?
                ein Pils?
                ein Mineralwasser?
                eine Forelle?
                einen Rehbraten?
                einen Kaffee?   Ja bitte.
                                   Nein danke, ich
                                   möchte ... .

Geld

1. der (Geld)Schein –
   die Geldscheine
   das (Geld)stück –
   die Geldstücke

2. die Mark
   der Pfennig

   der Schilling
   der Groschen

   der Franken
   der Rappen

3. ein Markstück –
   ein Fünfmarkstück
   ein Schillingstück –
   ein Fünfschillingstück
   ein Frankenstück –
   ein Fünffrankenstück

4. ein Zehnmarkschein – vier Zehnmarkscheine
   ein Hundertschillingschein – drei Hundertschillingscheine
   ein Zwanzigfrankenschein – fünf Zwanzigfrankenscheine

5. Das sind fünf Mark sechzig:

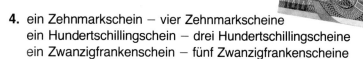

   Das sind elf Schilling fünfzig:

   Das sind zwei Franken dreißig:

6. 100 = einhundert (hundert)   300 = dreihundert
   200 = zweihundert   1000 = eintausend (tausend)

1. Geldstücke und Geldscheine

	D		CH		A	
	Pfennig	Mark	Rappen	Franken	Groschen	Schilling
1	●	●	●	●		●
2	●	●	●			
5	●	● ▬	●	●		●
10	●	▬	●	▬	●	●
20		▬	●	▬		● ▬
50	●	▬	▬	▬	●	▬
100		▬		▬		▬
200		▬				
500		▬		▬		▬
1000		▬		▬		▬

D = Bundesrepublik Deutschland   CH = Schweiz   A = Österreich

2. Gibt es in der Bundesrepublik Zwanzigmarkscheine?
Ja, es gibt welche.
Gibt es in der Schweiz Einfrankenscheine?
Nein, es gibt keine.
Gibt es in Österreich Fünfschillingstücke?
Ja, es gibt welche.
Gibt es in der Schweiz Zweihundertfrankenscheine?
Nein, es gibt keine.
Gibt es in ... ... ?

3. Können Sie wechseln?

A: Entschuldigung, können Sie einen
Zehnmarkschein wechseln?
B: Ja, vielleicht. Was brauchen Sie
denn?
A: Drei Markstücke.
B: Ich habe nur ein Zweimarkstück
und ein Fünfmarkstück. Tut mir leid.

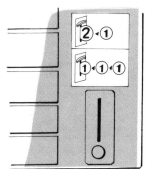

1. Im Fotogeschäft
(Kunde und Verkäuferin)

K: Guten Tag. Ich möchte einen Film für zwölf Aufnahmen.
V: Farbe oder schwarz-weiß?
K: Einen Farbfilm, bitte.
V: Was für eine Kamera haben Sie denn?
K: Ich selbst habe gar keine, der Film ist für meine Frau.
   Sie hat eine, ja, wie heißt die denn, eine ganz kleine,
   Agfa, glaube ich.
V: So wie diese? Das ist eine Agfamatic.
K: Ja, das ist sie.
V: Dann brauchen Sie eine Cassette.
K: Wieviel kostet die?
V: Vier Mark achtzig.
K: Gut, dann geben Sie mir gleich zwei.
V: Bitte sehr, neun Mark sechzig. Brauchen Sie sonst noch
   etwas?
K: Nein, danke sehr. Ich habe leider nur einen Hundertmark-
   schein. Können Sie wechseln?
V: Ja, das geht.

2. Im Schreibwarengeschäft
(Tourist und Verkäufer)

T: Haben Sie Stadtpläne?

V: Was für einen möchten Sie denn?

T: Einen kleinen, praktischen. Mit U-Bahn und Buslinien, wenn's geht.

V: Dieser hier ist ganz neu.

T: Sind da auch die Außenbezirke drin?

V: Nein. Dann brauchen Sie doch einen großen. Nehmen Sie diesen hier, da ist alles drin. Brauchen Sie sonst noch was?

T: Eine Ansichtskarte und einen Kugelschreiber.

V: Dieser kostet eine Mark fünfzig und dieser zwei Mark. Welchen möchten Sie?

T: Ich nehme den für eine Mark fünfzig.

V: Bitte. Die Ansichtskarten sind dahinten im Ständer.

T: Haben Sie auch Briefmarken?

V: Wir haben leider keine mehr. Aber die Post ist gleich nebenan.

3. An der Bushaltestelle

A: Bitte, welche Linie geht zum Hauptbahnhof?

B: Das weiß ich nicht, ich bin nicht von hier.

A: Wissen Sie, welcher Bus zum Hauptbahnhof fährt?

C: Linie sechs.

A: Vielen Dank. Und wann geht der?

C: In zehn Minuten.

Übungen

1. Haben Sie einen Wagen?
   Nein, ich habe . . . .
   Möchten Sie einen?
   Nein, ich brauche . . . .

2. Und Sie, haben Sie einen?
   Ja, ich habe . . . .
   Was für einen haben Sie
   denn, einen großen?
   Nein, ich habe einen . . . .

3. Haben Sie eine Kamera?
   Nein, ich habe . . . , aber
   meine Frau hat . . . .
   Was für eine hat sie denn,
   eine kleine?
   Nein, sie hat eine ganz . . . .

4. Gibt es hier einen Flughafen?
   Ja, aber nur einen ganz . . . .

5. Gibt es hier ein Restaurant?
   Ja, ein sehr . . . .

6. diesen – den   Kennen Sie diesen Herrn?
                    Ja, den kenne ich.
                    Nein, den . . . .

7. diese – die   Kennen Sie diese Dame?
                    Ja, ...
                    Nein, ...

8. dieses – das   Kennen Sie . . . Restaurant?
                    Ja, . . . kenne ich.
                    Nein, ...

1. Der Stadtplan (U-Bahn und Buslinien)

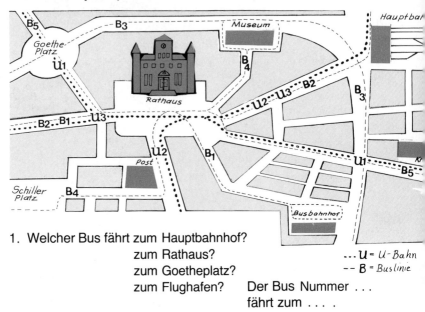

1. Welcher Bus fährt zum Hauptbahnhof?
   zum Rathaus?
   zum Goetheplatz?
   zum Flughafen?   Der Bus Nummer . . .
   fährt zum . . . .

    ...U = U-Bahn
    -- B = Buslinie

2. Ich möchte zum Museum. Welchen Bus muß ich nehmen?
   zum Schillerplatz.
   zum Krankenhaus.   Nehmen Sie Bus Nummer . . .

3. Sie wollen zum Rathaus. Welche Linie (Welche Bahn) nehmen Sie?
   zur Post.
   zum Busbahnhof.   Ich nehme Linie . . . .

2. Der Flugplan

Basel	12.20
Dresden	14.35
Frankfurt	17.50
Salzburg	18.10

1. Herr Meyer will nach . . . .
   Welches Flugzeug nimmt er?
   Er nimmt das um . . . Uhr.

2. Welches Flugzeug geht nach . . . ?
   Das um . . . geht nach . . . .

Leseübungen

1. Herr Meyer schreibt eine Ansichtskarte

Liebe Karin, 2.8.
viele Grüße aus Zürich.
Morgen fahre ich nach
Bern und übermorgen
nach Genf. Von Genf fliege
ich nach Frankfurt und
dann nach Hannover. Ich
weiß noch nicht, wann die
Maschine geht, ich muß
heute nachmittag die
Swissair anrufen. Ich
weiß leider auch noch
nicht, wann ich nach
Hause komme. Bis bald.
Herzlichst Dein Hans

8021 ZÜRICH 1
-7.-7.90--9
dd
ANNAHME

Rud. Suter AG, 8942 Oberrieden-Zürich

Frau
Karin Meyer
Einsteinstraße 79

D-3000 Hannover 2

2. Wieviel Geld braucht Herr Meyer?

Foto Hürlimann
ZÜRICH 2
Gotthardstr. 25 Tel.: 226045

1 Film sch./w.	4.–
1 Cassette	5.80
1 Stadtplan	3.70
1 Kugelschreiber	1.65
8 Ansichtskarten	5.60

Herr Meyer
braucht . . . Franken.

Salzburg, Altstadt und Festung

Salzburg, Getreidegasse

Urlaub in Salzburg

1. Wir gehen zu Fuß

Herr und Frau Meyer aus Hannover
machen Urlaub in Salzburg.

Beim Frühstück sagt Herr Meyer:
„Heute besichtigen wir die Festung
und Mozarts Geburtshaus."
„Soll ich meinen Schirm mitnehmen?"
fragt Frau Meyer.
„Warum denn? Es regnet doch
nicht!"
„Gehen wir zu Fuß?"
„Natürlich. Das Mozart-Haus ist
gleich nebenan."

2. Es regnet

„Bitte, gibt es hier ein Schirmgeschäft?"
„Ja, geradeaus bis zur Verkehrsampel und dann links."
„Ist das weit?"
„Nein, höchstens fünf Minuten."
„Nehmen wir ein Taxi?"
„Ja, aber ich sehe keins."
„Dahinten kommt eins."
„Richtig. Und besetzt
ist es auch."

3. Im Schirmgeschäft

„Wir möchten einen Schirm, bitte."
„Einen Herrenschirm oder einen Damenschirm?"
„Das ist egal. Einen großen."

Die Verkäuferin holt einen schwarzen, einen roten, einen gelben und einen grünen Schirm.

„Welchen möchten Sie?" fragt sie.
„Diesen nehmen wir", sagt Herr Meyer, „den schwarzen. Der ist nicht schön, aber praktisch. Wieviel kostet der?"
„Zweihundertzehn Schilling, bitte."

4. Auf der Festung

Nachmittags auf der Festung scheint die Sonne.

„Wo ist denn meine Sonnenbrille?" sagt Frau Meyer.
„Weiß ich nicht", sagt Herr Meyer, „wahrscheinlich im Hotel. Aber wir kaufen jetzt keine. Es regnet doch gleich wieder."

Übungen

1. Haben Sie Regenschirme?
   Was für . . . möchten Sie denn?
   Einen schwarz＿.
   Nehmen Sie dies＿ hier.
   (Stadtpläne, Kugelschreiber – praktisch, rot)
2. Haben Sie Ansichtskarten?
   Was für . . . möchten Sie denn?
   Eine schön＿.
   Nehmen Sie dies＿ hier.
   (Kameras, Sonnenbrillen – klein, grün)

3. Wo möchten Sie Urlaub machen?
   Ich möchte in . . . Urlaub machen.
4. Nehmen Sie . . . Bus? (Bahn, Flugzeug)
   Natürlich nehme ich . . . .
5. Gibt es hier einen Lift?
   Nein, ich sehe . . . .
   (Bus, Bahn, Bar, Fotogeschäft, Taxi)
6. Welch＿ Kugelschreiber nehmen Sie, den roten oder den grünen?
   Ich nehme gar kein＿ .
   (Stadtplan, Kamera – groß, klein)
7. Soll ich meinen Regenschirm mitnehmen?
   Den brauchen Sie nicht!
   (Kugelschreiber, Schlüssel, Stadtplan, Kamera, Sonnenbrille)
8. Mein Stadtplan ist im Hotel.
   Dann kaufen Sie doch einen!
   (Kugelschreiber, Regenschirm, Kamera, Brille)

1. Das Alphabet — Die Buchstaben — Die Umlaute

A a B b C c D d E e F f G g H h I i J j

K k L l M m N n O o P p Q q R r S s T t

U u V v W w X x Y y Z z Ä ä Ö ö Ü ü ß

2.

Wie heißen die Buchstaben, wie heißen die Zahlen und woher kommen die Autos? — Dieser Wagen (Dieses Auto) kommt aus . . . .

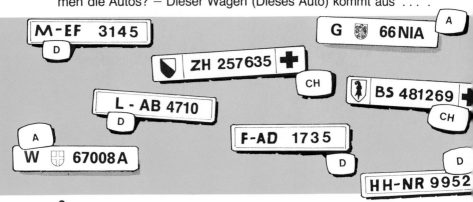

3.

Wie heißt das Land? — Dieses Land heißt . . . .

4. Wie heißt die Stadt? · Ein Quiz

A: Woher kommen Sie?
B: Das sage ich nicht. Aber Sie kennen die Stadt. Es gibt dort ein Goethe-Haus.
A: Frankfurt am Main?
B: Nein. (In Weimar gibt es auch ein Goethe-Haus.)

A: Und woher kommen Sie? Kenne ich die Stadt?
C: Ja, die kennen Sie. Es gibt dort ein Mozart-Haus.
A: Salzburg?
C: Nein. (In Augsburg gibt es auch ein Mozart-Haus.)

Bitte
langsam
fahren

bün all hier

Können Sie das auch
buchstabieren?

1. Können Sie das buchstabieren?

A: Hallo, ich möchte ein Telefongespräch
   nach Buxtehude.
B: Wie heißt die Stadt?
A: Buxtehude.
B: Und wo ist das?
A: In Norddeutschland.
B: Können Sie den Namen buchstabieren?
A: Natürlich.

2. Wann? (Um wieviel Uhr ...?)

Es ist acht Uhr. Frau Neumann geht zum Bahnhof.
Wann (Um wieviel Uhr) geht sie zum Bahnhof?
Um acht (Uhr).
Um acht (Uhr) geht sie zum Bahnhof.

Es ist Viertel nach acht. Herr Meyer nimmt ein Taxi.

Es ist neun Uhr. Herr Neumann schreibt einen Brief.

Es ist zwölf Uhr. Herr Müller geht ins Restaurant.

Es ist drei Uhr. Frau Brandt nimmt einen Bus.

Es ist vier Uhr. Herr Schmidt geht nach Hause.

3. Wo ist denn ...?

a) Wo ist denn meine Sonnenbrille? – Ich weiß nicht, wo die ist.
b) Wo ist denn mein Schirm?
c) Wo ist denn mein Schlüssel?
d) Wo ist denn mein Stadtplan?
e) Wo ist denn mein Kugelschreiber?
f) Wo ist denn mein Ticket?
g) Wo ist denn mein Hundertmarkschein?

Speiseplan Vollpension

	Mittagessen	Abendessen
Montag	Hühnersuppe Wiener Schnitzel Karamelpudding	Aufschnittplatte
Dienstag	Tagessuppe Zwiebelfleisch, Kartoffeln und Salat	Kalbsbeuscherl
Mittwoch	Tagessuppe Schweinebraten, Knödel und Salat	Gemüsetopf
Donnerstag	Kartoffelsuppe Rinderbraten, Gemüse	Käseplatte
Freitag	Gemüsesuppe Forelle blau, Salzkartoffeln	Gemüseplatte
Samstag	Tagessuppe Schinken- omelett, Salat	Bratwurst
Sonntag	Champignonsuppe Rehbraten, Rotkraut Obstkuchen	Salatplatte mit Ei

Frühstück: Toast, Brot, Butter, Marmelade, Honig,
Aufschnitt, Käse, Eier, Kaffee, Tee,
Milch oder Schokolade

1. Was gibt's zu essen?

Abends kommen Herr und Frau Meyer müde ins Hotel zurück.

HM: Was gibt's zu essen?
FM: Das weiß ich auch nicht. Sieh mal auf den Plan, der hängt
    nebenan im Flur.

Herr Meyer liest den Speiseplan.

HM: Heute ist Dienstag, nicht?
FM: Ja.
HM: Dann gibt's Kalbsbeuscherl.
FM: Was ist denn das?
HM: Keine Ahnung. Da müssen
     wir den Ober fragen.

2. Beim Abendessen

FM: Herr Ober, was ist denn das, – „Kalbsbeuscherl"?
O: Das ist Lunge.
FM: Oh, die mag ich nicht!
O: Sie können auch Wiener Schnitzel
    haben. Mögen Sie das?
FM: Ja, gern. Bringen Sie mir bitte ein
    Schnitzel.
O: Und Sie?
HM: Ich probiere
    Kalbsbeuscherl.
FM: Magst du denn das?
HM: Woher soll ich
    das wissen!

3. Was gibt's im Fernsehen?

Nach dem Abendessen stellt Herr Meyer den Fernseher an.
Er will die Nachrichten sehen und natürlich den Sport.

FM: Mußt du denn sogar im Ausland den Sport sehen?
HM: Natürlich! Heute ist ein wichtiges Fußballspiel. –
Aber es gibt keinen Sport, es gibt eine Reportage – über Salzburg. „Nein", sagt Frau Meyer, „das will ich nicht sehen. Das kennen wir ja. Gibt es denn keinen Krimi?"
Herr Meyer holt die Zeitung und sieht im Programm nach.
„Nein", sagt er, „dienstags nicht."

4. Was machen wir morgen?

HM: Morgen besichtigen wir den Dom und die Franziskanerkirche.
FM: Ach, muß das sein? Ich kann schon kaum noch laufen. Ich möchte einen Ruhetag haben und vielleicht nachmittags ein bißchen einkaufen. Eigentlich brauche ich ein neues Sommerkleid, dieses hier ist viel zu warm.
HM: Morgen regnet es wieder, und dann brauchst du kein neues Kleid Aber gut. Wir gehen einkaufen, und abends gehen wir ins Kasino.
FM: Hast du zuviel Geld?
HM: Ganz im Gegenteil! Ich will nicht verlieren, ich will gewinnen!

Hotel Drei Kronen

VORSPEISEN

Heringsfilet »Hausfrauen Art« mit Brot und Butter	9.80
Geflügelsalat »Hawaii«, mit Früchten, Toast und Butter	8.50
Kalbfleischpastete mit Cumberlandsoße	7.80
6 Stück Weinbergschnecken »Burgunder Art«	8.60

SUPPEN

Tagessuppe	2.50
Ochsenschwanzsuppe mit Sherry	4.00
Kraftbrühe mit Ei	2.80
Kartoffelsuppe	2.50

GRILLSPEZIALITÄTEN und FLEISCHGERICHTE

Rumpsteak mit Kräuterbutter, grünen Bohnen und Pommes frites	16.50
Filetsteak mit Champignons, Pommes frites und Salat	21.80
Lammkotelett mit Röstkartoffeln und Salat	16.50
Wiener Schnitzel mit Röstkartoffeln und Salat	12.50
Kalbsleber »Berliner Art« mit Apfelscheiben und Röstzwiebeln, Kartoffelpüree, Salat	14.50

FISCH

Forelle »blau« mit Butter und Salzkartoffeln	16.00
Seezunge mit Kartoffeln und Salat	18.00

NACHSPEISEN

Eisbecher mit Früchten	6.00
Vanilleeis mit heißen Himbeeren	6.50
Birne Helene	5.50
Obstsalat mit Kirschwasser	5.50

Übungen

1. Mögen Sie Kalbsbraten?
   Nein, den mag ich nicht. Nein, den esse ich nicht.
   Ja, den mag ich gern. Ja, den esse ich gern.

   a) der Rehbraten   b) der Rinderbraten   c) der Schweinebraten
   d) der Fisch   e) der Salat   f) das Schnitzel   g) das Omelett
   h) das Gemüse   i) das Rotkraut   j) die Forelle
   k) die Champignonsuppe   l) die Hühnersuppe

2. Ich mag keinen Schweinebraten. Kann ich Kalbsbraten haben?
   Ja, den können Sie haben.

   a) Rehbraten − Rinderbraten   b) Kaffee − Tee   c) der Fisch −
   das Fleisch   d) Schnitzel − Omelett   e) Champignonsuppe −
   Hühnersuppe   f) das Rotkraut − der Salat
   g) Bier − Mineralwasser

3. Möchten Sie einen Kaffee?
   Danke, ich möchte jetzt keinen.

   a) Tee   b) Mineralwasser   c) Bier   d) Salat   e) Omelett
   f) Schnitzel

4. Lesen Sie den Speiseplan!
   Morgens (zum Frühstück) gibt es . . . .
   Am Montag gibt es zum Mittagessen . . . .
   Am Dienstag gibt es zum Abendessen . . . .
   Was gibt es am Donnerstag zum Mittagessen?
   Mögen Sie das? Nein? Was möchten Sie denn gern?

5. Trinken Sie Kaffee? (Tee, Mineralwasser, Bier, Milch)
   Ja, aber nur morgens.
   Ja, aber nicht abends.

6. Fragen Sie den Ober!
   Herr Ober, was ist denn Weißkohl?
   Das ist Gemüse!

   a) Rotkohl − Gemüse   b) Rehbraten − Wild
   c) Renke − Fisch

Konversation

1. Was machen Sie abends?

A: Was machen Sie eigentlich abends, Herr Müller?
B: Ja, was mache ich abends? Nicht viel. Fernsehen, zum Beispiel.
A: Was denn, Krimis?
B: Ja natürlich, die auch. Aber auch die Nachrichten, die Tagesschau heißt das ja, Reportagen und alle Fußballspiele. Und Sie?
A: Ich sehe mir alles an, was es gibt.
B: Haben Sie denn soviel Zeit?
A: Eigentlich nicht, aber ich habe einen neuen Farbfernseher.

2. Was machen Sie sonntags?

A: Was machen Sie sonntags, Frau Neumann?
B: Ganz einfach. Mein Mann geht zum Fußball, und ich lese.
A: Und was lesen Sie?
B: Morgens die Zeitung, nachmittags ein gutes Buch und abends einen Krimi.
A: Sehen Sie auch fern?
B: Nein. Wir haben keinen Fernseher. Mein Mann möchte einen kaufen, aber ich will nicht. Dann muß ich abends nämlich Fußballspiele ansehen und kann keinen Krimi lesen.
A: Aber es gibt doch Krimis im Fernsehen.
B: Richtig, aber ich lese eben gern.

3. Gehen wir morgen abend ins Kino?

A: Im „Metro" gibt es einen neuen Krimi. Gehen wir hin?
B: Wann denn?
A: Morgen abend?
B: Das geht nicht. Morgen abend will ich fernsehen.
A: Was gibt's denn?
B: Einen Krimi, natürlich!

1. Für wen koche ich eigentlich?

Es ist Montagabend, sieben Uhr. Frau Brandt ist in der Küche und macht das Abendessen. Das Telefon klingelt. Herr Brandt ist am Apparat. „Ich bin noch im Büro", sagt er, „ich komme heute nicht zum Essen. Ich muß noch arbeiten."

Andreas kommt in die Küche.

A: Ist das Abendessen fertig?

FB: Noch nicht. In einer halben Stunde.

A: Das ist zu spät. Ich will ins Kino. Kann ich ein Stück Brot haben?

FB: Bitte, bitte. Vater kommt nicht, und du willst auch kein Essen. Für wen koche ich eigentlich?

2. Ist denn niemand zu Hause?

Am Dienstagnachmittag kommt Herr Brandt früh aus dem Büro. Im Flur ruft er: „Hallo, können wir heute früh essen? Ich habe einen Bärenhunger!"
Niemand antwortet.
Er geht ins Wohnzimmer.
Es ist niemand da.
Er geht in die Küche.
Da ist auch niemand.
Aber da liegt ein Zettel.

3. Herr Brandt liest den Zettel

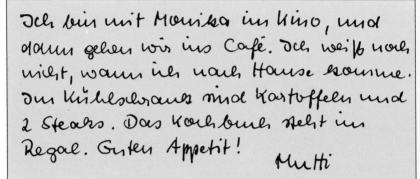

Ich bin mit Monika im Kino, und dann gehen wir ins Café. Ich weiß noch nicht, wann ich nach Hause komme. Im Kühlschrank sind Kartoffeln und 2 Steaks. Das Kochbuch steht im Regal. Guten Appetit!
Mutti

Andreas kommt in die Küche. „Was machen wir jetzt?" fragt er.
„Jetzt kochen wir!" sagt Herr Brandt.

4. Was nun?

Herr Brandt nimmt die Steaks aus dem Kühlschrank und legt sie in die Pfanne. „Kartoffeln brauchen wir nicht!" sagt er.
Andreas geht ins Wohnzimmer und stellt den Fernseher an. „Vater, komm mal her", ruft er, „das mußt du sehen!"
Bayern München spielt. Nach zwanzig Minuten gehen Herr Brandt und Andreas wieder in die Küche. Die Steaks sind schwarz.
„Was nun?"
Herr Brandt wirft die Steaks in den Mülleimer und sagt: „Jetzt gehen wir zum Imbißstand an der Ecke."

Übungen

1. d**er** – in d**en** – im

	Da ist	der
	Frau Brandt legt die Steaks	in den
	Die Steaks liegen	im

a) Wohin legt Frau Brandt die Steaks? – Sie legt die Steaks . . . . . .
b) Wo liegen die Steaks? – Die Steaks liegen . . . . . .
c) Was legt Frau Brandt in den Kühlschrank? – (die Kartoffeln, das Bier, das Gemüse, die Butter, den Braten, die Eier)
d) Wo liegen (Wo liegt) . . . . . ? – . . . . . .

2. da**s** – in**s** – im

	Da ist	das
	Andreas geht	ins
	Andreas ist	im

a) Wohin geht Herr Meyer? – (Restaurant, Kino, Café, Krankenhaus, Rathaus, Büro, Wohnzimmer)
b) Wo ist er? – . . . . . .

3. die – in die – in der

	Da ist	die
	Herr Neumann geht	in die
	Er ist	in der

a) Wohin geht Herr Neumann? – (Küche, Telefonzelle, Post, Stadt)
b) Wo ist er? – . . . . . .

Übungen

4. Wo ist denn mein Schlüssel? – Ich weiß nicht. Vielleicht im Wagen.

   a) Kugelschreiber – Büro   b) Sonnenbrille – Hotel   c) Zeitung –
   Wohnzimmer   d) Kamera – Küche   e) Schirm – Telefonzelle
   f) Ticket – Flughafen   g) Geld – Bar   h) Ansichtskarte – Restaurant   i) Stadtplan – Bus

5. Wo ist (Wo sind) . . . . . ? – . . . . . .

   a) Frau Brandt legt den Zettel in die Küche.   b) Herr Brandt wirft die
   Steaks in den Mülleimer.   c) Andreas bringt das Ticket ins Büro.
   d) Monika legt die Zeitung ins Wohnzimmer.

6. aus dem – aus der

   Es ist neun Uhr.
   Frau Neumann kommt
       aus dem Hauptbahnhof.

   Es ist zehn Uhr.
   Andreas kommt
       aus dem Kino.

   Es ist acht Uhr.
   Frau Brandt kommt
       aus der Küche.

   Wann kommt Frau Neumann aus dem Hauptbahnhof? –
   Um neun Uhr kommt sie aus dem Hauptbahnhof.

   Wann kommt Andreas . . . . . ? – Um . . . . . .

7. a) Herr Neumann – sieben Uhr – Büro.   b) Andreas – elf Uhr –
   Stadt.   c) Monika – acht Uhr – Café.   d) Herr Meyer – ein Uhr –
   Restaurant.   e) Renate – zwölf Uhr – Hotel.   f) Frau Brandt –
   11 Uhr 15 – Kirche.   g) Herr Müller – abends – Stadt.

8. Herr Brandt legt die Steaks . . . . . Pfanne. Dann geht er . . . . .
   Wohnzimmer. Nach zwanzig Minuten geht er . . . . . Küche. Die
   Steaks sind schwarz. Er nimmt sie . . . . . Pfanne und wirft sie . . . . .
   Mülleimer. Dann geht er . . . . . Restaurant. Um zehn Uhr kommt er
   . . . . . Restaurant und geht . . . . . Kino. Um zwölf geht er nach Hause.

1. Eine Unterhaltung

(Ein Ausländer und ein Deutscher)

A: Bitte, wann sagt man „zum", und wann sagt man „in den"?
D: Das ist ganz einfach. Wohin wollen Sie?
A: Äh, . . . Flughafen. Ich will ein Ticket kaufen.
D: Sie wollen im Flughafen ein Ticket kaufen. Sie nehmen den Bus und fahren zum Flughafen. Dann gehen Sie in den Flughafen und gehen zum Schalter. Da kaufen Sie Ihr Ticket.
A: Und dann . . . – . Ich will telefonieren.
D: Und dann wollen Sie telefonieren. Sie gehen zur Telefonzelle. Dahinten ist eine, aber sie ist besetzt. Sehen Sie, jetzt kommt ein Mann aus der Telefonzelle. Jetzt gehen Sie in die Telefonzelle und telefonieren. Ganz einfach, nicht?
A: Ich weiß nicht . . .

2. Herr Maier macht einen Plan

Freitag	Samstag	Sonntag
9ºº Büro Brief schreiben telefonieren	10ºº Hauptbahnhof (Zeitung)	10ºº Mozarthaus
11ºº Fotogeschäft (Film)	11ºº Salzburg (Abfahrt)	12ºº Dom
12ºº Schreibwaren- geschäft (Stadtplan)	1315 Ankunft	14ºº Franziskaner- kirche
14ºº Brillenge- schäft (Sonnenbrille)	21ºº Bar	15ºº Museum Café
		22ºº Fußballspiel (Fernsehen)

Am Freitag will er um neun Uhr ins Büro gehen. Dann will er . . . . . .
Um elf Uhr will er . . . . . .

Wo möchten Sie wohnen

In einem Reihenhaus

in einem Wohnblock

oder in einem kleinen
Einfamilienhaus?

Wo möchten Sie wohnen? · Vier Interviews

1. Auf der Straße

A: Bitte, darf ich Sie etwas fragen?
B: Ja, was denn?
A: Woher kommen Sie?
B: Aus der Schweiz.
A: Und wo wohnen Sie, in der Stadt
   oder auf dem Lande?
B: In der Stadt, in Basel.
A: Wohnen Sie gern in der Stadt?
B: Nein!
A: Und warum nicht?
B: Weil es da zu laut ist, und weil es
   zu viele Autos gibt.
A: Möchten Sie lieber auf dem Lande
   wohnen, in einem Dorf?
B: Ja, viel lieber. Vielleicht ziehe ich später aufs Land.

2. In der Diskothek

A: Bitte, wo wohnen Sie?
C: In einem Dorf in Niedersachsen. Vierhundert Kilometer von hier.
A: Wie viele Einwohner hat denn Ihr Dorf?
C: Dreihundert.

A: Wohnen Sie gern dort?
C: Natürlich nicht!
A: Und warum nicht?
C: Na, warum wohl! In dem
   Kaff, wo ich wohne, gibt's
   überhaupt nichts, keine
   Diskothek, keine Bar und
   kein Kino.
A: Machen Sie hier Urlaub?
C: Nein. Ich bin von Beruf
   Fernfahrer.
A: Und Sie kommen gern
   nach Frankfurt?
C: Das sehen Sie doch!

3. Im Café

A: Bitte, wo wohnen Sie?
D: Im Hotel „Drei Löwen".
A: Ach so, Sie sind nicht von hier.
D: Nee, ich bin aus Berlin.
A: Wohnen Sie gern in Berlin?
D: Klar.
A: Haben Sie ein Haus oder eine Wohnung?
D: Eine Wohnung in einem Wolkenkratzer.
A: Und wie viele Zimmer haben Sie?
D: Drei, und das ist zuwenig. Zwei Erwachsene und zwei Kinder in einer Dreizimmerwohnung, wissen Sie, nee, das geht auf die Dauer nicht. Wir suchen ne Vierzimmerwohnung.
A: Sind Sie berufstätig?
D: Ja. Ich arbeite zu Hause. Ich bin von Beruf Graphikerin.

4. Im Bahnhof

A: Wohnen Sie in einem Haus oder in einer Wohnung?
E: Ich? Wir haben ein Haus, ein Einfamilienhaus auf dem Lande, fünfzig Kilometer von hier.
A: Und wie viele Personen sind Sie?
E: Zwei, nur mein Mann und ich.
A: Wohnen Sie gern auf dem Lande?
E: Nein, jetzt nicht mehr. Das Haus ist zu groß und zu teuer.
Mein Sohn und meine Tochter wohnen in Stuttgart. Mein Mann ist nicht mehr berufstätig, und wir haben auch kein Auto mehr.
Wir möchten auch in die Stadt ziehen, in eine kleine Wohnung.

Übungen

1. Wo wohnen Sie, in der Stadt oder auf dem Lande?
   Wie viele Einwohner hat die Stadt?

10 000 – 100 000	100 000 – 900 000	1 000 000 –
zehntausend ...	hunderttausend ...	eine Million ...
die Kleinstadt	die Großstadt	die Millionenstadt

   Wohnen Sie in einer Kleinstadt oder einer Großstadt?
   Wie viele Millionenstädte gibt es in dem Land, wo Sie wohnen?
   Wo möchten Sie lieber wohnen, in einer Kleinstadt oder in einer Millionenstadt?
   In welcher Stadt (In welchem Land) möchten Sie gern wohnen?
   (Rio, New York, Paris, München ... ; die Bundesrepublik, die Schweiz, die Türkei; Österreich, Italien, Frankreich, England, USA, Japan, Brasilien ...)

2. Gibt es in der Stadt, wo Sie wohnen, einen Dom, eine Kirche, einen Flughafen, ein Museum, eine U-Bahn, ein Kasino?
   Ja (Nein), in der Stadt, wo ich wohne, ...

3. Wie viele Zimmer hat Ihre Wohnung?
   Ich wohne in einer ... zimmerwohnung.

4. Wie viele Millionenstädte kennen Sie?

5. Welche sind das?

6. Welche Länder kennen Sie?

7. Sind Sie berufstätig?

8. Arbeiten Sie zu Hause? Arbeiten Sie in einem Büro?

9. Wie viele Personen sind Sie zu Hause?

10. Haben Sie Kinder? Wie viele? (Einen Sohn, zwei Söhne, zwei Töchter)

Konversation

Peter und Monika suchen eine neue Wohnung.
Beim Frühstück liest Peter die Zeitung.

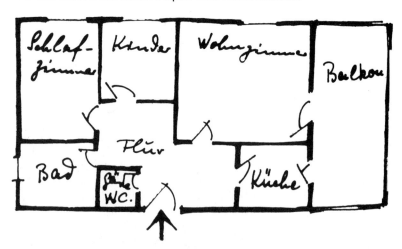

P: Hier ist eine schöne Zweizimmer-
   wohnung!
M: Wieviel kostet sie?
P: Vierhundert im Monat.
M: Das ist nicht viel. Wo liegt sie denn?
P: Am Hauptbahnhof.
M: Die nehmen wir nicht, da ist es zu laut.
P: Und hier ist noch eine, die kostet sechshundert.
M: Das ist zuviel.
P: Hier gibt's noch eine Vierzimmerwohnung in Denning.
M: Wo ist denn das?
P: Weiß ich auch nicht. Hol mal den Stadtplan.
M: Sieh mal, das ist hier. Viel zu weit.
P: Ja, dann brauche ich ein Auto. Aber vielleicht gibt's auch einen Bus.
M: Aber vier Zimmer! Das ist doch viel zu groß!
P: Was für eine willst du denn?

Monika nimmt ein Stück Papier und einen Bleistift.

M: Hier, diese Wohnung möchte ich. Und zwar am Stadtpark.
P: Prima. Aber die ist zu teuer!

Humor

Mann, Sie können ja nicht mehr gehen!
Weiß ich. Ich will ja auch fahren.

Was für einen Schirm möchten Sie
denn?
Einen großen.
Nehmen Sie diesen?
Der ist zu groß.
Und dieser hier?
Der ist zu klein.
Und dieser?
Wieviel kostet der?
Dreißig Mark.
Der ist zu teuer.

Danke, jetzt brauche ich keinen mehr.

Bitte, geht's hier geradeaus
zum Dom?
Geradeaus? Ja.
Ist das weit?
Ungefähr 40 000 Kilometer.
Wie bitte?
Der Dom ist dahinten!

Blick aufs Matterhorn

Zermatt im Sommer   und im Winter

Zermatt, das Dorf ohne Autos

1. Skifahren im Sommer

A: Was machen Sie in diesem Jahr im Urlaub, Herr Schneider?
B: Ich will Ski fahren.
A: Ach so, dann fahren Sie erst im Winter.
B: Nein, im Juli. Ich will in die Schweiz, nach Zermatt. Auf den Gletschern kann man auch im Sommer Ski fahren.
A: Na ja, Sie können das machen. Sie sind nicht verheiratet. Meine Kinder wollen in den Ferien immer an die See zum Baden.
B: Baden kann man da auch, im Freibad oder in einem See. Hallenbäder gibt's natürlich auch. Und außerdem gibt's Tennisplätze und Minigolf und alles, was Sie wollen. Außerdem können Sie natürlich wandern und bergsteigen.
A: Ist das nicht gefährlich?
B: Mit den Kindern, meinen Sie? Ich glaube nicht. Wenn Sie die Wege nicht kennen, müssen Sie einen Bergführer nehmen.
A: Und wie kommt man nach Zermatt?
B: Mit der Bahn oder mit dem Auto. Aber man darf das Auto nicht mit ins Dorf nehmen, in Zermatt sind Autos nämlich verboten. Die stehen ein paar Kilometer vor dem Ort auf einem Parkplatz. Von da aus fährt man mit der Bahn oder mit dem Taxi. Und im Dorf können Sie mit der Kutsche fahren.
A: Ist das nicht alles sehr teuer?
B: Na ja, billig ist es nicht. Die Lifte und die Bergbahnen kosten viel Geld. Aber im Urlaub können Sie ja auch mal zu Fuß gehen.

2. Aus einem Reiseprospekt
(Leseübung)

Zermatt, das Bergdorf am Matterhorn, hat die längste Skisaison in den Alpen. Hier kann man nicht nur im Winter, sondern auch im Sommer Ski fahren.

Zermatt hat etwa 80 Hotels und Pensionen mit rund 4000 Betten und außerdem sehr viele Ferienwohnungen und Privatzimmer.

Von Westen, Norden und Süden erreichen Sie Zermatt sehr einfach mit der Bahn. (Vom Flughafen Genf fahren Sie über Lausanne nach Visp, vom Flughafen Basel nehmen Sie die Bahn nach Zürich und von dort über Luzern nach Brig.)

Wenn Sie mit dem Auto kommen, parken Sie in Brig oder Visp und fahren mit der Bahn weiter.

Im Ort sind Autos verboten, aber Sie können im Winter mit dem Pferdeschlitten und im Sommer mit der Kutsche fahren.

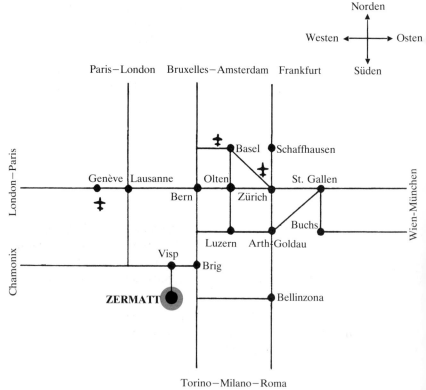

1. Die Jahreszeiten (die Jahreszeit)

der (im) Frühling – Sommer – Herbst – Winter

2. Die Monate (der Monat)

der (im)

Januar	Februar	März	April	Mai	Juni
Juli	August	September	Oktober	November	Dezember

Welchen Monat haben wir jetzt? – Wir haben . . . .

3. Das Datum

der erste Januar	der zwanzigste Juli
zweite Februar	einundzwanzigste August
dritte März	dreißigste September
vierte April	einunddreißigste Oktober
. . . Mai	25. November
. . . Juni	18. Dezember

Welches Datum haben wir heute? – Wir haben **den** zwölften (12.) . . . .
Den wievielten haben wir heute? – Wir haben **den** dreizehnten.

Welches Jahr haben wir?

Wir haben 1991 (neunzehnhunderteinundneunzig)
　　　　　　1992
　　　　　　1993

4. Der Kalender

1. Januar	– Neujahr	23. September	– Herbstanfang
21. März	– Frühlingsanfang	22. Dezember	– Winteranfang
15. April	– Ostern	25. Dezember	– Weihnachten
22. Juni	– Sommeranfang	31. Dezember	– Silvester

Wann ist Neujahr? – Am 1. Januar (Am ersten Januar).
Wann ist Frühlingsanfang? – Am . . . . . (Im März).
Wann ist Ostern? – . . . März oder April.

1. Die Himmelsrichtungen (die Himmelsrichtung)

Norden (im Norden von, nördlich von); Osten (im Osten von, östlich von); Süden (im Süden von, südlich von); Westen (im Westen von, westlich von)

Zermatt liegt im Süden (südlich) von Lausanne.
St. Gallen liegt . . . . . .
Nehmen Sie die Karte auf Seite 60 !

2. Darf man hier . . . ?

 Darf man hier parken?
Nein, hier darf man nicht parken.

 . . . . . parken?

 . . . . . baden?

 . . . . . fotografieren?

 . . . . . rauchen?

 Kann man hier . . . ?

Darf . . . . . geradeaus fahren?

1. Wie heißt die Stadt? · Zehn Fragen
(Claudia Petersen aus Hamburg und ein Quizteam)

Erste Frage:	Was machen Sie im Urlaub, Fräulein Petersen?
CP:	Ich will eine große Stadt besichtigen.
Zweite Frage:	Kenne ich die Stadt?
CP:	Ja.
Dritte Frage:	Kopenhagen?
CP:	Nein. Sie liegt nicht im Norden von Hamburg.
Vierte Frage:	Im Westen?
CP:	Ja.
Fünfte Frage:	Fahren Sie mit dem Wagen?
CP:	Nein.
Sechste Frage:	Fliegen Sie?
CP:	Nein.
Siebte Frage:	Gehen Sie vielleicht zu Fuß?
CP:	Nein.
Achte Frage:	Fahren Sie mit dem Fahrrad nach Amsterdam?
CP:	Nein.
Neunte Frage:	Liegt die Stadt im Ausland?
CP:	Ja.
Zehnte Frage:	Fahren Sie mit dem Schiff?
CP:	Ja. (Claudia Petersen fährt mit dem Schiff nach London.)

2. Jetzt fragen Sie !

Das war unsere Klasse

HAUSER GLISS ... echt Spitze!

STUNDENPLAN

Zeit	Montag	Dienstag	Mittwoch	Donnerstag	Freitag	Samstag
8^{10}-8^{55}	Sport	Französisch	Latein	Englisch	Mathe	
8^{55}-9^{40}	Sport	Französisch	Latein	Englisch	Mathe	
9^{40}-10^{25}	Mathe	Deutsch	Physik	Kunst	Erdkunde	
Pause						
10^{50}-11^{35}	Physik	Deutsch	Physik	Kunst	Französisch	
11^{35}-12^{20}	Chemie	Englisch	Biologie	Chemie	Sozialkunde	
12^{25}-13^{05}		Englisch	Biologie	Musik	Deutsch	
13^{15}-14^{00}		Religion			Deutsch	

1. Eine Einladung

„Hier ist ein Brief von einem Herrn Bauer", sagt Monika Schwarz zu ihrem Mann. „Kennst du den?"

„Bauer? Nein. Gib mal her."

Thomas Schwarz öffnet den Brief und lacht: „Der Bauer, das war unser Klassensprecher. Den habe ich seit Jahren nicht mehr gesehen. Woher hat der bloß meine Adresse?"

Er gibt seiner Frau den Brief: „Sieh mal hier, das ist eine Einladung zum Klassentreffen."

Liebe Klassenkameraden,

am Freitag, den 10. November, veranstalten wir
das erste Klassentreffen seit acht Jahren!

Ort: Ratskeller in Bremen

Beginn: 20 Uhr

                         Herzliche Grüße

Bitte kommt alle!   Euer   *Klaus Bauer*

P.S. Bitte, kümmert Euch selbst um Hotelzimmer!

Herr Schwarz geht zum Bücherregal und blättert in einem Fotoalbum.

„Hier", sagt er zu seiner Frau, „das war unsere Klasse. Das ist der Klaus Bauer, und das war unser Englischlehrer."

„Und wo bist du?"

„Rate mal!"

„Der kleine Dicke?"

„Falsch!"

„Etwa der mit den langen Haaren?"

„Richtig!"

Herr Schwarz findet noch einen alten Stundenplan.

„Montags bin ich immer gern in die Schule gegangen", sagt er, „da hatten wir zwei Stunden Sport, eine Stunde Mathe, eine Physik und eine Chemie. In Sport hatte ich immer eine Eins."

2. Das Klassentreffen

Klaus Bauer begrüßt seine Klassenkameraden. „Wir waren zwanzig", sagt er, „und sechzehn sind gekommen. Das ist gar nicht schlecht. Udo sendet Grüße aus Mexiko, Martin arbeitet irgendwo im Ausland und ist nicht erreichbar, und Ursula kann nicht kommen, weil sie ein Baby erwartet. Erik hat einen Unfall gehabt und liegt im Krankenhaus. Es geht ihm aber gut. Wir schreiben nachher eine Karte und senden ihm herzliche Grüße von unserem Klassentreffen. So, und jetzt schlage ich vor, daß jeder erzählt, was er in den letzten acht Jahren gemacht hat. Ganz kurz, Beruf, Familie, Hobbys, und so weiter."

Am Samstagvormittag um zehn ist Thomas Schwarz wieder zu Hause. Er sieht ziemlich müde aus.

„Bist du krank?" fragt seine Frau. „Warum bist du denn so früh aufgestanden? War das Hotel nicht gut?"

„Ich weiß nicht", sagt Thomas, „ich war gar nicht da. Ich habe überhaupt nicht geschlafen. Wir waren bis sieben Uhr morgens zusammen, und dann bin ich gleich zum Bahnhof gegangen."

„Dann war's sicher interessant?"

„O ja. Weißt du, jeder hat erzählt, von seinem Beruf und wo er wohnt und was er in den letzten Jahren gemacht hat. Stell dir vor, der Klaus hat schon zwei Kinder, einen Sohn und eine Tochter, und der Martin studiert immer noch. Und die Gisela, die hat einen tollen Job . . . "

„Weißt du was?" sagt Monika Schwarz, „erzähl mir das heute nachmittag. Jetzt mußt du erst mal ins Bett."

Ich habe überhaupt nicht geschlafen.

1. Hier ist der Bericht von Thomas Schwarz

„Nach der Schule habe ich eine Lehre als Kaufmann gemacht, das hat zwei Jahre gedauert. Nach der Prüfung bin ich für drei Jahre ins Ausland gegangen und habe in Exportfirmen in Südamerika gearbeitet. Dann bin ich nach Bremen zurückgekommen und habe geheiratet. Meine Frau, Monika heißt sie, ist Fremdsprachenkorrespondentin. Vor zwei Jahren sind wir nach Hamburg gezogen, und da wollen wir nächstes Jahr eine eigene Firma gründen. Hobbys habe ich nicht, aber ich spiele immer noch gern Gitarre, wie damals in der Schulzeit."

2. Ein paar Fragen

a) Sind Sie gern zur Schule gegangen?
b) Wie viele Schüler waren in Ihrer Klasse? (In meiner . . .)
c) Wie viele Stunden Sport hatten Sie in der Woche?
d) Wie sind Sie zur Schule gefahren, mit der Bahn, mit dem Bus, mit dem Fahrrad, oder sind Sie zu Fuß gegangen?
e) Wie lange hat das gedauert?
f) Wann sind Sie morgens aufgestanden?
g) Wann stehen Sie jetzt auf?
h) Wissen Sie, wo Ihre Klassenkameraden wohnen?
i) Haben Sie schon einmal ein Klassentreffen veranstaltet?
j) Wie viele Schüler sind zu diesem Treffen gekommen?
k) Spielen Sie ein Instrument?
l) Möchten Sie noch einmal zur Schule gehen?
m) Haben Sie als Schüler auch lange Haare gehabt?
n) Möchten Sie gern im Ausland arbeiten? Wo?
o) Haben Sie schon einmal im Ausland gearbeitet? Wo?

1. Was haben Sie in den letzten Jahren gemacht?

a) Nach der Schule habe ich studiert.
eine Lehre gemacht.
als . . . gearbeitet.
geheiratet.
eine Wohnung gesucht.
eine Prüfung gemacht.
Urlaub gemacht.
eine Firma gegründet.

b) Vor einem Jahr bin ich   nach . . . gezogen.
  (. . . Jahren)   ins Ausland gegangen.
  nach . . . zurückgekommen.
  nach . . . gefahren.

2. Eine Unterhaltung

A: Guten Morgen! Wie geht's?
B: Danke. Schlecht.
A: Ach, sind Sie krank?
B: Nein, ich bin müde. Ich habe schlecht geschlafen und habe zuviel Arbeit. Gestern habe ich bis zwölf Uhr nachts gelesen, und heute morgen bin ich um sechs aufgestanden.
A: Müssen Sie denn so früh aufstehen?
B: Ja, mein Zug geht nämlich um sieben.
A: Können Sie nicht umziehen?
B: Das will ich ja. Ich suche seit drei Jahren eine neue Wohnung, aber ich habe noch keine gefunden. Wir hatten ja eine in der Stadt, aber die war zu klein. Mein Sohn ist jetzt sechzehn, der braucht ein großes Zimmer.
A: Ich gehe jetzt einen Kaffee trinken. Kommen Sie mit?
B: Ja, warum nicht?

Einladung und Absage

negative answer

1.

Lieber Hans,

kommst Du am Sonntagnachmittag um fünf zu uns zum Kaffee? Monika und ihr Mann kommen auch. Wir möchten Euch die Filme von unserem Urlaub in Kanada zeigen.

Herzliche Grüße! Claudia und Erik

2.

Liebe Claudia, lieber Erik,

vielen Dank für Eure Einladung! Ich kann leider nicht kommen, weil ich im Krankenhaus liege. Ich habe vorige Woche einen Unfall gehabt und mir den linken Arm gebrochen. Es geht mir aber gut. Nächste Woche komme ich nach Hause. Vielleicht sehen wir uns dann in vierzehn Tagen.

Herzlichst! Euer Hans

3. Jetzt schreiben Sie den zweiten Brief! Hausaufgabe

Sie können nicht kommen, weil Sie

a) krank sind.
b) am Sonntag arbeiten müssen.
c) zum Fußballspiel wollen.
d) eine neue Wohnung besichtigen wollen.
e) zum Klassentreffen fahren.
f) kein Auto haben.
g) am Samstag für eine Woche ins Ausland fahren.

Eine tolle Firma
(Drei Telefongespräche)

1. Der Chef ist außer Haus

A: Guten Tag, hier Schmitz. Können Sie mich bitte mit Herrn Großmann verbinden?

B: Der ist außer Haus.

A: Dann sagen Sie ihm bitte, wenn er wiederkommt ...

B: Ich sehe ihn heute nicht mehr, er kommt erst spät zurück ...

A: Dann verbinden Sie mich mit seiner Sekretärin!

B: Das bin ich.

A: Also, dann sagen Sie ihm bitte morgen ...

B: Morgen sehe ich ihn auch nicht, morgen ist Samstag.

A: Bitte, Fräulein, dann legen Sie ihm einen Zettel hin, er möchte mich anrufen. Geht das wenigstens?

B: Kann ich machen. Wie war Ihr Name?

2. Die Sekretärin ist zu Tisch

A: Hier Schmitz. Ich habe vorige Woche schon einmal angerufen. Bitte Herrn Großmann.

C: Der ist verreist.

A: Dann verbinden Sie mich mit seiner Sekretärin!

C: Die ist zu Tisch.

A: Dann sagen Sie ihr, wenn sie wiederkommt ...

C: Ich sehe sie nicht mehr, ich habe gleich Feierabend.

A: Dann legen Sie ihr einen Zettel hin, sie möchte Herrn Großmann sagen, er soll mich anrufen.

C: Gut, Herr Schulz, mache ich.

A: Schmitz! Nicht Schulz!

3. Der Chef ist selbst am Apparat

A: Schmitz. Bitte Herrn Großmann!

D: Wen möchten Sie sprechen?

A: Herrn Großmann!

D: Am Apparat.

A: Herr Großmann, hier ist Schmitz, Schmitz aus Köln. Ich habe vorige Woche schon einmal angerufen und Ihrer Sekretärin gesagt . . .

D: So? Mit wem haben Sie denn gesprochen, mit der großen Blonden?

A: Herr Großmann, ich habe die Dame nicht gesehen, ich habe mit ihr telefoniert, verstehen Sie?

D: Ja ja, verstehe. Wann war das?

A: Am Freitagnachmittag.

D: Am Freitag, so so, dann war das Fräulein Weiß, die ist nicht mehr bei uns, aber vielleicht war es Fräulein Knauer, die kleine Dicke, die ist jetzt in Urlaub, da müssen Sie noch mal anrufen, die hat nämlich geheiratet . . .

A: Herr Großmann, ich will ja nicht mit Ihrer Sekretärin sprechen! Ich habe ihr gesagt, sie soll Ihnen einen Zettel hinlegen und Sie sollen mich anrufen.

D: Ach so, Sie sind das? Ja, hier steht, „Ein Herr aus Köln hat angerufen". Wie war Ihr Name?

A: Wissen Sie was, Herr Großmann? Das ist jetzt ganz egal. Mit Ihrer Firma kann man nicht arbeiten!
Wiederhören!

Wen möchten Sie sprechen?

1.

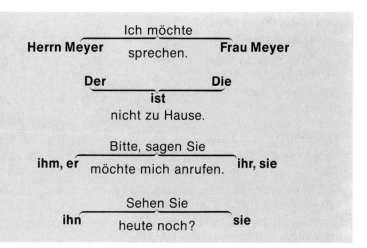

Ich möchte
Herrn Meyer   sprechen.   **Frau Meyer**

Der   **Die**
ist
nicht zu Hause.

Bitte, sagen Sie
ihm, er möchte mich anrufen. **ihr, sie**

Sehen Sie
ihn heute noch? **sie**

2.

Wir möchten
Herrn Meyer   **und**   **seine Frau**
sprechen.

Die sind
nicht zu Hause.

Dann sagen Sie
ihnen, sie
möchten uns anrufen.

3. Dann sagen Sie (ihm – ihr – ihnen), ich rufe noch mal an.
   ich habe morgen keine Zeit.
   ich komme nächste Woche.
4. Dann geben Sie (ihm – ihr – ihnen) meine Adresse.
   meine Telefonnummer.
   diesen Schlüssel.
   diesen Brief.
5. Ist Herr Meyer da? – Dann verbinden Sie mich bitte mit . . . . . .
6. Ist Fräulein Schulz da? – Dann verbinden Sie mich bitte mit . . . . . .

Konversation

1. Kann ich Ihnen helfen?

A: Kann ich Ihnen helfen?
B: Ja, bitte. Können Sie mir sagen,
   wo es Schuhe gibt?
A: Im dritten Stock ist die Schuh-
   abteilung.

2. Können Sie mir helfen?

A: Bitte, können Sie mir helfen?
B: Ja?
A: Ich habe meine Brille vergessen. Können Sie diesen Fahrplan lesen?
   Wann geht ein Bus zum Einstein-Platz?
B: Den kann ich auch nicht lesen, aber ich kann Ihnen sagen, wann der
   Bus geht: Um Viertel nach, Linie fünf.

3. Du kannst mir doch nichts erzählen!

A: Gestern habe ich dich im Kino gesehen – mit deiner neuen Freundin!
   Hübsches Mädchen!
B: Das war doch meine Schwester.
A: Erzähl doch nichts! Wer geht schon mit seiner Schwester ins Kino!
B: Doch doch! Die kleine Blonde links neben mir, das war meine
   Schwester.
A: Und die große Dunkle rechts neben dir?
B: Ach so. Das war meine Freundin.

Der einzige Arbeiter

Fritz macht eine Lehre als Kaufmann in einer Exportfirma.

„Na, wie geht es dir denn in deiner neuen Firma?" fragt sein Freund. „Wie viele Angestellte habt ihr eigentlich?"

„Angestellte", sagt Fritz, „zweihundert, glaube ich. Aber nur einen, der arbeitet."

„Was? Einen? Erzähl mir doch nichts!"

„Doch", sagt Fritz, „bei uns geht das so: Am Sonntagabend sagt die Chefin zu ihrem Mann, er soll Briefmarken mitbringen. Und der Chef vergißt es natürlich. Am Dienstagmorgen ruft sie ihn an, er soll die Briefmarken nicht vergessen. Am Dienstagnachmittag sagt der Chef zu seiner Sekretärin, sie soll Briefmarken kaufen. Und die vergißt es. Am Mittwochmorgen ruft die Chefin mich an, ich soll ihr die Briefmarken bringen. Und ich gehe zur Post, kaufe die Briefmarken und bringe sie ihr. – Siehst du, bei uns gibt es nur einen, der arbeitet."

Franz Schubert mit 16 Jahren

Das Manuskript der Relativitätstheorie

Hermann Hesse

Heinrich Schliemann

Genies in der Schule — Vier Lebensläufe

1. Franz Schubert, Komponist (1797—1828)

Schuberts Vater war Lehrer. Er erkannte die musikalische Begabung seines Sohnes und gab ihm selbst Geigenunterricht, aber Franz sollte den Beruf seines Vaters ergreifen und mußte deshalb ein Lehrerseminar besuchen. Das Studium interessierte ihn aber nicht, und die Schule langweilte ihn auch. Was die Schüler im Unterricht machten, war ihm egal.

Schließlich verschaffte Vater Schubert seinem Sohn einen einjährigen Urlaub. Franz kehrte nie in den Schuldienst zurück. In seinem kurzen Leben komponierte Schubert acht Sinfonien, fünfzehn Streichquartette, zweiundzwanzig Sonaten, Opern und unzählige Lieder.

Das Heidenröslein in Schuberts Handschrift

2. Albert Einstein, Physiker (1879—1955)

Albert Einstein verließ das Gymnasium in München ohne Abschlußprüfung. Fremdsprachen und Geschichte interessierten ihn nicht, aber von seinem Mathematiklehrer bekam er ein gutes Zeugnis. Auf Wunsch seines Vaters ging er mit sechzehn Jahren nach Zürich. Er wollte dort am Polytechnikum studieren, mußte eine Aufnahmeprüfung machen — und fiel durch.

Einstein ging noch einmal zur Schule, machte das Abitur und durfte schließlich studieren. Mit vierunddreißig Jahren wurde er Professor — am Polytechnikum in Zürich. Mit zweiundvierzig Jahren bekam er den Nobelpreis für Physik.

Szene aus dem Film „Der Steppenwolf"
nach dem Roman von Hermann Hesse

3. Hermann Hesse, Dichter (1877–1962)

Hermann Hesse, der Sohn eines Missionars, fand schon die Grundschule langweilig. „In den acht Jahren . . . fand ich nur einen einzigen Lehrer, den ich liebte und dem ich dankbar sein kann . . . ", schrieb er später.

Hermann Hesse sollte Theologie studieren und kam deshalb auf ein theologisches Seminar. Latein und Griechisch interessierten ihn – und doch lief er nach einem halben Jahr davon.

Er versuchte verschiedene Schulen, machte eine Mechanikerlehre und wurde schließlich Buchhändler. Von seinem achtzehnten Lebensjahr an stand seine Arbeit als Dichter im Mittelpunkt.

Zehn Jahre nach seinem Tode waren seine Romane weltberühmt.

4. Heinrich Schliemann, Archäologe (1822–1890)

Heinrich Schliemann, der Entdecker Trojas, verließ mit vierzehn Jahren die Schule, weil er Geld verdienen mußte. Er kam zu einem Kaufmann in die Lehre und arbeitete später drei Jahre in Amsterdam. In dieser Zeit lernte er sechs Sprachen fließend sprechen und schreiben: Niederländisch, Englisch, Französisch, Spanisch, Italienisch und Portugiesisch. Dann lernte er auch noch Russisch, ging nach St. Petersburg und gründete ein eigenes Geschäft. Mit sechsundzwanzig Jahren war er Millionär.

Von Rußland ging er nach Amerika. Die erste Bank in Sacramento gehörte Heinrich Schliemann.

Als sechzehnte Sprache lernte Schliemann Griechisch, zog nach Athen und begann als Achtundvierzigjähriger mit den Ausgrabungen in Hissarlik. Nach kurzer Zeit fand er tatsächlich Troja, die Stadt, die er aus Homers „Ilias" kannte.

Übungen

1. Interessiert Sie Sport?
   Ja, Sport interessiert mich.
   Nein, Sport interessiert mich nicht.

2. Interessieren Sie Fremdsprachen?
   Ja, Fremdsprachen interessieren mich.
   Nein, Fremdsprachen interessieren mich nicht.

3. Langweilt Sie Mathematik?
   Ja, Mathematik langweilt mich.
   Nein, Mathematik langweilt mich nicht.

4. Langweilen Sie Krimis?
   Ja, Krimis langweilen mich.
   Nein, Krimis langweilen mich nicht.

5. Finden Sie Fernsehen interessant oder langweilig?
   Ich finde Fernsehen sehr interessant (sehr langweilig).

6. Was interessiert Sie?
   Lesen Sie den Stundenplan auf Seite 64. Was finden Sie interessant,
   was finden Sie langweilig?

7. Haben Sie in der Schule gute Zeugnisse gehabt?

8. Wie viele Prüfungen mußten Sie machen?

9. Mußten Sie das lernen, was Ihre Eltern wollten, oder durften Sie lernen, was Sie selbst wollten?

10. Mußten Sie den Beruf Ihres Vaters (Ihrer Mutter) ergreifen?

1. Wem gehört das?

Gehört dir das Fahrrad?
Ja, das ist meins.
(Ja, das gehört mir.)

Gehört Ihnen der Wagen?
Ja, das ist meiner.
(Ja, der gehört mir.)

Gehört Ihnen die Sonnenbrille?
Ja, das ist meine.
(Ja, die gehört mir.)

2. Kennen Sie . . .

Schuberts „Achte"?
Beethovens „Neunte"?
Homers „Ilias"?
Tolstois „Krieg und Frieden"?
Goethes „Faust"?
Verdis „Aida"?
Shakespeares „Hamlet"?
Molières „Tartuffe"?
Cervantes' „Don Quijote"?

Ja, natürlich. Das ist . . . (eine Sinfonie, eine Dichtung, ein Roman, ein Theaterstück, eine Komödie, eine Oper).

Wo gehen wir heute abend hin?

THEATER	OPER	KONZERT	KINO
Kammerspiele Der zerbrochene Krug von Heinrich Kleist	**Nationaltheater** Eugen Onegin von Peter Tschaikowski	**Herkulessaal** Klassische Philharmonie Stuttgart	**Atlantik-Palast** Tod auf dem Nil mit Peter Ustinov
Residenztheater Drei Schwestern von Anton Tschechow	Die Zauberflöte von W. A. Mozart	Beethoven: Egmont-Ouvertüre op. 84	**Film-Casino** Das Ganze noch mal von vorne
Theater am Ring Ein Sommernachtstraum von William Shakespeare	Aida (in ital. Sprache) von Giuseppe Verdi	Violinkonzert D-dur op. 61 Symphonie F-dur op. 68	**Arena-Lichtspiele** Die Vögel von Alfred Hitchcock
Staatstheater Faust I von J. W. Goethe	**OPERETTE**	Leitung: Karl Münchinger Pinchas Zukerman, Violine	**Sonnen-Filmtheater** Vier Fäuste für ein Halleluja mit Terence Hill und Bud Spencer
Thalia-Theater Kabale und Liebe von Friedrich Schiller	**Theater am Gärtnerplatz** Der Zigeunerbaron von Johann Strauß	**Kongreßsaal** Bachorchester des Gewandhauses zu Leipzig	**Fantasia Cinema** Wenn schon verrückt, dann richtig mit Jean Paul Belmondo
Volksbühne Drei Bayern in Paris		Leitung: Gerhard Bosse Werke von G. Ph. Telemann, J. S. Bach und J. Haydn	**Europa-Filmtheater** Alexis Sorbas mit Anthony Quinn

Ich möchte   ins Theater.
              ins Konzert.
              ins Kino.
              in die Oper (in die Operette).

Was gibt's denn   im Theater?
                   im Konzert?
                   im Kino?
                   in der Oper (in der Operette)?

Wer spielt denn   Beethovens D-dur-Konzert?

Was interessiert Sie denn?

Eine Bewerbung

Wenn man sich um eine Stelle bewirbt, schreibt man

a) ein Bewerbungsschreiben,
b) einen Lebenslauf.

1. Das Bewerbungsschreiben

```
Andreas Rauschenberg              Hochstraße 12
                                  60313 Frankfurt am Main
Fa. Neumann                       12. Juni 19..
Maschinenfabrik AG
Postfach 123


30003 Hannover


Betr.:   Ihre Anzeige "Maschinenbauingenieur" in der
         Hannoverschen Presse vom 11.6.19..

Sehr geehrte Damen und Herren,

hiermit möchte ich mich um die Stelle eines Maschinen-
bauingenieurs in Ihrer Firma bewerben.
Ich studiere im Augenblick in Braunschweig, mache im
Oktober dieses Jahres meine Abschlußprüfung und habe
deshalb noch keine Berufserfahrung. Ich habe aber in
den Semesterferien immer praktisch gearbeitet und inter-
essiere mich besonders für den Bereich "Wasserturbinen".
Ich kann am 1. November bei Ihnen anfangen.
Bitte, geben Sie mir die Gelegenheit zu einer persönlichen
Vorstellung.

Mit besten Empfehlungen

        Andreas Rauschenberg
Anlagen: Lebenslauf
         Zeugnisabschriften
```

Lebenslauf

Am 18. April 1967 wurde ich als Sohn des Metallfacharbeiters Fritz Rauschenber und seiner Ehefrau Maria, geb. Klein in Kassel geboren.

Von 1973 bis 1975 besuchte ich die Grund schule in Kassel. Dann zogen meine Eltern nach Frankfurt. Dort besuchte ich von 1977 bis 1985 das Goethe-Gym nasium, das ich mit dem Zeugnis der Reife verließ.

Im Herbstsemester 1985 nahm ich das Studium mit der Fachrichtung Maschinenbau an der Technischen Hochschule Braunschweig auf, das ich im Oktober dieses Jahres abschließe.. Während der Schulferien war ich vier Monate in England und drei in Frank reich. Meine mündlichen und schrift lichen Sprachkenntnisse sind gut. Während der Semesterferien habe ich in verschiedenen Firmen innerhalb mei ner Fachrichtung gearbeitet.

Andreas Rauschenberg

1. Andreas Rauschenbergs Lebenslauf
Tabellarische Fassung

1967	Am 18. April wurde ich in Kassel geboren. Eltern: Fritz Rauschenberg, Metallfach- arbeiter, Maria Rauschenberg, geb. Klein, Hausfrau.
1973–1985	Schulbesuch in Kassel und Frankfurt. Reifezeugnis des Goethe-Gymnasiums in Frankfurt am Main.
1985–	Studium an der Technischen Hochschule Braunschweig, Fachrichtung Maschinenbau. Abschlußprüfung im Oktober 1990. Sprachkenntnisse: Englisch und Französisch mündlich und schriftlich. (Auslandsauf- enthalte während der Schulferien.) Hobbys: Leichtathletik und Schwimmen. (Aktives Mitglied im Sportverein Braun- schweig)

2. Schreiben Sie Ihren Lebenslauf!

> Geburtstag, Geburtsort, Eltern
> Schulbesuch
> Abschlußprüfung
> Lehre in der Firma . . .
> (Studium an der Universität von . . .)
> Hobbys

3.

Haben Sie während der Schulferien praktisch gearbeitet?
Wo? Wie lange? Wieviel haben Sie verdient? Haben Sie bei Ihren Eltern
gewohnt? Hat die Arbeit Sie interessiert?

4.

Sind Sie Mitglied in einem Sportverein? Welchen Sport treiben Sie?
Trainieren Sie jede Woche? Wie lange?

TESTEN SIE SICH SELBST!

1. Haben Sie sich schon einmal irgendwo beworben? Punkte

☐ Zwei- bis dreimal. 0
☐ Schon oft. 2
☐ Ich bewerbe mich jede Woche irgendwo. 4

2. Wie haben Sie das gemacht?

☐ Ich habe einen Brief geschrieben. 0
☐ Briefe machen zuviel Arbeit. Ich habe angerufen. 4

3. Haben Sie sich persönlich vorgestellt?

☐ Natürlich. 0
☐ Die Firmen haben mir keine Gelegenheit gegeben. 6

4. Mit wem haben Sie gesprochen oder telefoniert?

☐ Mit dem Chef persönlich (Mit der Chefin). 0
☐ Mit der Sekretärin. 2
☐ Ich weiß nicht, mit wem. 4
☐ Das habe ich vergessen. 6

5. Wie war der Chef (die Chefin)?

☐ Ich fand ihn (sie) sympathisch. 2
☐ Ich fand ihn (sie) unsympathisch. 2
☐ Das weiß ich nicht mehr. 6

6. Wie viele Stellen haben Sie schon gehabt?

☐ Drei bis fünf. 0
☐ Zehn bis zwanzig. 6

AUSWERTUNG

0 bis 10 Punkte: Sie können morgen bei uns anfangen.

Die Vorstellung
(Der Personalchef und eine Bewerberin)

P: Also, Sie kommen direkt von der Schule und haben noch keine Berufserfahrung?

B: Ja. Aber ich habe viele Jahre an der Schülerzeitung des Gymnasiums mitgearbeitet, und ein paar kleine Artikel von mir wurden auch in unserer Tageszeitung veröffentlicht. Ich habe zwei Artikel mitgebracht.

P: Und wofür interessieren Sie sich besonders, ich meine, auf welchem Gebiet möchten Sie arbeiten?

B: Ich dachte, vor allem Fragen, die die Jugendlichen betreffen und die älteren Leute.

P: Wie meinen Sie das?

B: Was die jungen Leute über die alten denken, und umgekehrt. Welche Probleme es zwischen Jugendlichen und alten Leuten gibt, zum Beispiel. Ich habe mal eine Reportage gemacht, und das Tonband habe ich dann den Jugendlichen vorgespielt. Und dann haben die jungen Leute diskutiert und aus den beiden Tonbändern habe ich einen Artikel für die Zeitung gemacht.

P: Interessant. Haben Sie schon mal daran gedacht, daß der Beruf der Reporterin auch gefährlich ist? Sie müssen manchmal abends arbeiten oder nachts.

B: Das stört mich nicht. Ich habe keine Angst.

P: Gut. Wieviel möchten Sie verdienen?

B: Wieviel bezahlen Sie denn?

P: Eine gute Frage. Lassen Sie bitte Ihre Artikel hier. Ich schreibe Ihnen nächste Woche und mache auch einen Vorschlag für Ihr Monatsgehalt.

B: Geben Sie mir eine Chance?

P: Ich glaube schon!

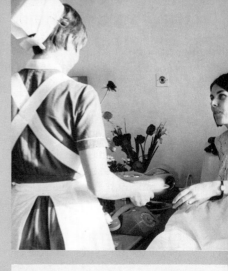

Berufe – Wunsch und Wirklichkeit

1. Was möchten Sie werden?

Im Jahre 1989 wurden Schulabgänger in der Bundesrepublik Deutschland nach ihren Berufswünschen gefragt. Hier ist die „Hit-Liste":

a) Jungen   % = Prozent

> *7,4 % wollten Kraftfahrzeugmechaniker werden.*
> *4,4 % wollten im Büro arbeiten.*
> *4,6 % wollten Elektroinstallateur werden.*
> *2,8 % wollten eine Lehre als Schlosser machen.*
> *2,4 % wollten Energieelektroniker werden.*

b) Mädchen

> *15,5 % wollten Bürokauffrau werden.*
> *11,5 % wollten als Verkäuferin arbeiten.*
> *5,0 % wollten eine Lehre als Friseuse machen.*
> *3,4 % wollten Bankkauffrau werden.*
> *1,9 % wollten Rechtsanwaltsgehilfin werden.*

Die Jungen nannten außerdem sehr häufig den Beruf des Industriekaufmanns und über 43 000 Mädchen wollten Sprechstundenhilfe bei einem Arzt werden.

2. Welchen Beruf hätten Sie gern?

In einer Umfrage für die Zeitschrift S T E R N hat das Institut für Demoskopie Allensbach herausgefunden, welche Berufe sich deutsche Männer wünschen. (Es wurden Männer gefragt, die bereits im Berufsleben standen. Welche Berufe sie wirklich hatten, ist leider nicht bekannt.)
Die Ergebnisse der Befragung stehen auf der nächsten Seite.

3. Die Umfrage des Jahres

Frage an Männer: Welche von diesen Berufen hätten Ihnen Freude gemacht? Sie können mehrere Berufe angeben.

Die Ergebnisse:

Berufe	%	Berufe	%
Arzt	33	Pilot	11
Architekt	26	Musiker	11
Ingenieur	24	Landwirt	10
Lehrer	22	Psychologe	9
Rechtsanwalt	20	Chemiker	7
Journalist	15	Politiker	4
Hochschulprofessor	12	Seemann	3

4.

Warum haben die befragten Männer wohl diese Antworten gegeben? Wir wissen es nicht. Aber hier sind einige Begründungen. Welche paßt zu welchem Beruf?
(Achtung! Nicht alle Begründungen sind ernst gemeint.)

a) Weil ein . . . viel von der Welt sieht.
b)   nicht viel arbeitet.
c)   nicht in der Stadt wohnen muß.
d)   anderen Menschen Freude macht.
e)   viel Geld verdient.
f)   anderen Menschen helfen kann.
g)   viel Ferien hat.
h)   nicht reisen muß.
i)   viel reisen muß.

5.

Wie hätten Sie geantwortet?
Weil ich als . . . viel von der Welt sehe.
Weil ich als . . . .

1. Und nun die Damen!

Eine ähnliche Umfrage bei Frauen liegt uns nicht vor. Deshalb machen wir jetzt eine. Was möchten Sie werden, bzw. (= beziehungsweise) welchen Beruf hätten Sie gern?

Ärztin	*Journalistin*	*Psychologin*
Architektin	*Hochschulprofessorin*	*Chemikerin*
Ingenieur	*Pilotin*	*Politikerin*
Lehrerin	*Musikerin*	*Seemann*
Rechtsanwältin	*Landwirtin*	

Anmerkung:
Für „Ingenieur" und „Seemann" gibt es keine weibliche Form. Warum wohl?
Wie ist das in Ihrer Sprache?
Kennen Sie Frauen, die Ingenieur, Pilotin oder „Seemann" sind?

2.

Haben Sie schon einmal an einer Umfrage teilgenommen?
Was wollte man von Ihnen wissen?
Hier ist eine typische Umfrage für berufstätige Frauen:

a) Sind Sie verheiratet?
b) Haben Sie Kinder? Wie viele? Wie alt sind Ihre Kinder?
c) Gehen Ihre Kinder zur Schule oder in den Kindergarten?
d) Wann müssen Sie morgens aufstehen?
e) Wer macht das Frühstück, Sie oder Ihr Mann?
f) Wie kommen Sie zur Arbeit?
g) Wo essen Sie mittags, in der Firma oder in einem Restaurant?
h) Wo essen Ihre Kinder, in der Schule, im Kindergarten oder zu Hause?
i) Wann kommen Sie abends nach Hause?
j) Wann kaufen Sie ein, abends oder am Samstag?
k) Hilft Ihr Mann Ihnen beim Einkaufen?
l) Wie viele Stunden arbeiten Sie täglich?
m) Wie viele Stunden arbeitet Ihr Mann?

Konversation

(Gabi und Petra)

G: Hallo, Petra, lange nicht gesehen. Wie geht's?

P: Danke, prima. Und dir?

G: Auch nicht schlecht. − Was machst du eigentlich jetzt?

P: Ich bin bei der Bundespost.

G: Was? Als Briefträgerin?

P: Nee. Ich bin in der Ausbildung als Fernmeldetechnikerin.

G: Das hört sich ja kompliziert an. Was ist denn das?

P: Du kannst auch sagen „Telefontechnikerin". Aber bei uns heißt das offiziell „Fernmeldetechnik", weil auch die Fernschreiber dazugehören, und der Funk und alles das.

G: Interessierst du dich denn dafür?

P: Klar, darum tue ich das doch. Ich arbeite genauso wie die vier Jungs in der Gruppe.

G: Nette?

P: Einer.

G: Na, das genügt ja.

P: Sicher. Den muß ich dir mal vorstellen. Martin heißt er. Dufter Typ, sage ich dir.

1.

Mädchen als Fernmeldetechniker

Die Ausbilder der Bundespost, die seit Jahren Jungen und Mädchen in technischen Berufen ausbilden, wissen, daß sich weibliche Jugendliche genauso dafür eignen wie ihre männlichen Kollegen.

Sie berichten, daß bisher noch kein Mädchen bei einer Prüfung durchgefallen ist.

Die Lehrzeit für eine Fernmeldetechnikerin beträgt drei Jahre. Im ersten Jahr steht die Werkstoffbearbeitung im Mittelpunkt.

Im zweiten Jahr müssen sie die komplizierte Installation von „Sprechstellen" (das ist der offizielle Ausdruck der Bundespost für „Telefone") erlernen.

Im dritten Jahr sind sie mit ihrem Ausbilder im Außendienst tätig.

2. Jetzt fragen Sie!

a) Wer?   Die Ausbilder
b) Was tun die Ausbilder?   wissen
c) Was wissen sie?   daß ... weibliche Jugendliche genauso ... wie ihre männlichen ...
d) Welche Ausbilder?   Die Ausbilder der Bundespost, die seit Jahren ...

e) Was tun sie?   berichten
f) Was berichten sie?   daß kein Mädchen durchgefallen ist.

g) (Wer oder) was?   Die Lehrzeit
h) Was tut die Lehrzeit?   ? (beträgt) drei Jahre.

Fragen Sie weiter!

Wandern im Gebirge

Grill-Party

Treffen von Motorrad-Fans

FREIZEITBESCHÄFTIGUNGEN

Kennen Sie Ihre Nachbarn?

1. Bekannte, Freunde, Partner, „Singles"

In Städten und großen Wohnsiedlungen wird es immer schwieriger, Bekanntschaften zu machen und Freundschaften zu schließen.

In kleineren Orten kennt man seine Nachbarn meistens seit der Schulzeit, ist mit ihnen in demselben Sportverein und besucht sich gegenseitig. In den riesigen Wohnblocks der Städte lebt man anonym, und viele Menschen wissen nicht einmal, wer direkt neben ihnen wohnt.

Jugendliche haben es immer noch verhältnismäßig leicht, leichter jedenfalls als Erwachsene. Sie treffen sich in Clubs, Diskotheken oder ganz einfach im Stadtpark.

Berufstätige, alleinstehende Menschen aber, die spät nach Hause kommen und früh aufstehen müssen, haben fast überhaupt keine Gelegenheit, Bekanntschaften zu machen. Ihre Zahl wird immer größer.

Manche besuchen „Clubs für Singles", viele versuchen es mit Zeitungsanzeigen, und für die meisten ist der Urlaub die einzige Gelegenheit, Menschen kennenzulernen.

2. Was für Freunde wünschen Sie sich?

Haben Sie genug Freunde, oder möchten Sie neue Bekanntschaften machen?

Sollten Ihre Freunde

genauso alt sein wie Sie?
jünger sein als Sie?
älter sein als Sie?

dieselben Hobbys haben wie Sie?
andere Hobbys haben als Sie?

denselben Beruf haben wie Sie?
einen anderen Beruf haben als Sie?

genauso viel Geld verdienen wie Sie?
mehr Geld verdienen als Sie?
weniger Geld verdienen als Sie?

dieselbe Ausbildung haben wie Sie?
eine andere Ausbildung haben als Sie?

ein kleineres Auto haben als Sie?
ein größeres Auto haben als Sie?
ein genauso großes Auto haben wie Sie?

Oder ist es Ihnen egal,

wie alt sie sind?
welche Hobbys sie haben?
welchen Beruf sie haben?
wieviel Geld sie verdienen?
was für eine Ausbildung sie haben?
was für ein Auto sie haben?

Natürlich ist mir das egal! Es kommt doch nicht darauf an, was sie auf der Bank haben. Es kommt darauf an, was sie im Kopf haben!

Geben Sie Auskunft über sich selbst!

1. Beruf

Ich bin noch in der Ausbildung.
    bin nicht berufstätig.
    studiere noch.
    bin Facharbeiter.
    bin selbständig.
    bin Angestellter (Angestellte).
    arbeite als . . . .

2. Meine Interessen und Hobbys

interessiert mich − interessiert mich nicht

Kino − Theater
Ausgehen − Tanzen
Private Geselligkeit
Wandern
Politik − Wirtschaft
Soziale Fragen
Psychologie
Erziehungsfragen
Garten
Wohnung − Einrichtung
Natur
Tiere
Reisen
Fotografieren
Auto − Technik
Literatur
Kunst
Klassische Musik
Pop-Musik
Kochen − Essen
Sport
Basteln
Malen − Zeichnen
Musizieren

Das Leben ist nicht einfach!

Es ist nicht leicht . . . Es war noch nie leicht . . .
Es ist nicht einfach . . . Es war noch nie einfach . . .
Es wird immer schwieriger . . . Es war immer schon schwierig . . .
War es früher leichter . . . ? Leichter war es früher auch nicht
War es früher schwieriger . . . ? Schwieriger war es früher . . .

a) einen Parkplatz finden
b) Bekanntschaften machen
c) einen guten Job finden

d) viel Geld verdienen
e) ins Ausland reisen
f) allein leben

Konversation

1.

A: Du, kennste den Martin?
B: Nee.
A: Du, Martin, komm mal her.
   Das ist Micha.
C: Tach.

2.

A: Kennen Sie Herrn
   Baumann?
B: Nein, kenne ich nicht.
A: Da drüben steht er.
   Wollen Sie ihn kennen-
   lernen?
B: Warum nicht.
A: Herr Baumann, das ist
   Herr Franzen.
C: Guten Tag, Herr Franzen.
B: Guten Tag, Herr Baumann.

3.

A: Kennen Sie Herrn
   Lindemann schon?
B: Nein, ich hatte noch keine
   Gelegenheit, seine Be-
   kanntschaft zu machen.
   (Nein, ich hatte noch
   keine Gelegenheit, ihn
   kennenzulernen.)
A: Soll ich Sie vorstellen?
B: Ja, gern.
A: Herr Lindemann, darf ich
   Ihnen Herrn Groß vor-
   stellen?
C: Guten Tag, Herr Groß.

Mercedes-Benz, 1936, 180 PS, 170 km.
Verbrauch: 26 l

◁ Erste Daimler-Kutsche
1886, 18 km/h

Volkswagen (VW), 1951, 25 PS,
105 km/h, Verbrauch: 7,5 l

BMW Isetta, 1956, 12 PS,
85 km/h, Verbrauch: 5,5 l

Porsche 924 Turbo, 1979, 170 PS,
230 km/h, Verbrauch: 14 l

BMW 750 iL, 1990, 300 PS,
250 km/h (elektronisch begrenzt)
Verbrauch: 13,5 l

Die Geschichte des Automobils

1886 – 1979   Größer, schneller, teurer!
1980 – ?   Kleiner, langsamer, sparsamer?

1. Einige Daten

1876	Der Viertaktmotor des Konstrukteurs Nikolaus August Otto, der „Otto-Motor", wird patentiert.
1885	Gottlieb Daimler und Wilhelm Maybach bauen einen Otto-Motor in ein Zweirad ein. Dieses erste Motorrad der Welt hat einen Hubraum von 264 ccm.
1886	Karl Benz führt am 3. Juli 1886 seinen dreirädrigen „Patent-Motorwagen" der Öffentlichkeit vor. Dieses Datum gilt als Geburtstag des Automobils. Im selben Jahr bauen Daimler und Maybach das erste vierrädrige Auto, eine Kutsche mit Motor. Es ist schneller als der Wagen von Benz: 18 km/h.
1892	Rudolf Diesel erfindet den „Dieselmotor". Er ist sehr schwer und wird deshalb nur in Lastkraftwagen eingebaut. Für Personenkraftwagen (PKWs) wird er erst ab 1936 verwendet.
1900	Auf der Weltausstellung in Paris wird ein Wagen mit Elektromotor vorgeführt. Der Konstrukteur heißt Ferdinand Porsche. Er konstruiert später den Volkswagen und den schnellsten Rennwagen der Welt, den Porsche 917/30 Can-Am (5374 ccm, 420 km/h).

2. Die Entwicklung der Geschwindigkeit

1886 16 km/h

1906 14 km/h für Lastwagen, 25 km/h für Busse. Der schnellste Rennwagen (200 PS) läuft bereits 180 km/h.

1909 über 200 km/h.

1938 Der Mercedes „Silberpfeil" erreicht 432 km/h.

1965 Robert Summers bricht in Bonneville (Utah, USA) den Geschwindigkeitsrekord für Kolbenmotoren. Mit vier Chrysler-Motoren erreicht er 655 km/h.
Den absoluten Geschwindigkeitsrekord hält seit 1965 Craig Breedlove mit 966 km/h. Sein Wagen hatte ein Düsentriebwerk.

3. Haben Sie schon gehört ?

A: Haben Sie schon gehört? Das Benzin wird wieder teurer!

B: Was? Schon wieder?

A: Wieviel braucht denn Ihr Wagen?

B: Ungefähr zehn Liter auf der Landstraße und zwölf im Stadtverkehr.

A: Können Sie nicht mit der Bahn fahren?

B: Kann ich schon. Da muß ich früher aufstehen und bin später zu Hause.

A: Ich hab keine Probleme. Bei mir geht's mit der Bahn am schnellsten. Und billiger ist es natürlich auch. Und ich kann vor der Arbeit schon die Zeitung lesen.

„Ein kleines Problem seh' ich nur noch im Straßenverkehr."

B: Ich brauche nächstes Jahr sowieso einen neuen Wagen. Ich kaufe mir einen kleineren, der nicht so viel Sprit braucht. Vielleicht einen Diesel.

4. Der Treibstoff ist knapp — wer braucht am meisten?
Eine einfache Rechnung

a) Ein Bus befördert 40 Personen und braucht 20 Liter Benzin auf 100 Kilometer. Das sind
   $20 : 40 = 0,5$ Liter pro Person.

b) Ein PKW befördert 4 Personen und braucht 12 Liter auf 100 Kilometer. Das sind
   $12 : 4 = 3$ Liter pro Person.

c) Ein Düsenflugzeug befördert 200 Personen und braucht 1200 Liter auf 100 Kilometer. Das sind
   $1200 : 200 = 6$ Liter pro Person.

Der Bus braucht am wenigsten und ist am billigsten.
Der PKW braucht mehr als der Bus und weniger als das Flugzeug.
Er ist teurer als der Bus und billiger als das Flugzeug.
Das Flugzeug braucht am meisten und ist am teuersten.

1. teuer − teurer − am teuersten

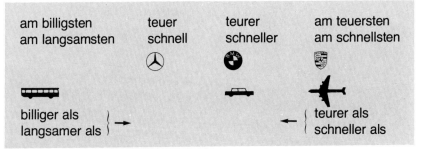

am billigsten am langsamsten	teuer schnell	teurer schneller	am teuersten am schnellsten

billiger als
langsamer als

teurer als
schneller als

der Mercedes	der Bus
der BMW	der PKW
der Porsche	das Flugzeug

a) Der Bus ist billig und langsam. Er ist von allen am billigsten und am langsamsten.
b) Der PKW ist teurer und schneller als der Bus. Aber er ist langsamer und billiger als . . . . . .
c) Das Flugzeug ist am teuersten und schnellsten. Es ist . . . . . .
d) Der Mercedes ist teuer und schnell. Aber er ist . . . . . .
e) Der BMW ist . . . . . .
f) Der Porsche ist . . . . . .

2. alt − groß − gut − viel − teuer

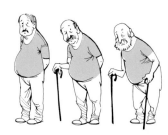

a) alt	älter	am ältesten
b) groß	größer	am größten
c) gut	besser	am besten
d) viel	mehr	am meisten
e) teuer	teurer	am teuersten

3. Übung

a) Der schnelle Wagen verbraucht viel Benzin.
b) Der . . . Wagen verbraucht am . . . .
c) Der größere Wagen verbraucht . . . als der kleine.
d) Das Teuerste ist nicht immer das . . . .

Eine der höchsten Brücken Europas spannt sich über das Tal des Kocher in der Nähe von Schwäbisch Hall. Die Brücke, ein Teil der Autobahn Heilbronn-Nürnberg, ist 185 Meter hoch. (Die höchste Brücke Europas mit 260 Metern gibt es in Italien.)

Möchten Sie der Architekt sein?

Möchten Sie der Architekt sein, der die höchste oder die längste Autobahnbrücke oder den höchsten Wolkenkratzer gebaut hat, oder der Konstrukteur, der für das schnellste Flugzeug, die modernste Bahn oder das größte Schiff verantwortlich ist? Hätten Sie nicht auch Angst, daß Sie irgendeinen Fehler gemacht haben?

Natürlich, solche Bauwerke und solche Verkehrsmittel werden nicht von einem einzigen Menschen entwickelt. Wahrscheinlich braucht man für eine Brücke dieser Größe ein paar hundert Ingenieure und verwendet einen riesigen Computer, der ihnen rechnen hilft. Trotzdem: Irgend jemand muß verantwortlich sein, und ich bin froh, daß ich es nicht bin.

Ich finde solche Bauwerke übrigens nicht nur praktisch, sondern auch schön.

Mit dem schnellsten Flugzeug der Welt bin ich noch nicht geflogen, eine Reise mit dem größten Schiff habe ich auch noch nicht gemacht, aber ich bin schon mit meinem alten Volkswagen über die höchste Brücke Europas gefahren.

Rekorde, Rekorde!

1.
Der älteste Wein kommt aus Würzburg. Es ist eine Flasche „Steinwein"
aus dem Jahre 1540.

2.
Der größte deutsche Dichter, Johann Wolfgang von Goethe (1749 –
1832), hatte auch einen der höchsten Intelligenzquotienten (I.Q.): über
200. (Das meinen amerikanische Wissenschaftler.)

3.
Der schnellste Komponist war Wolfgang Amadeus Mozart (1756 – 1791).
Im Jahre 1788 schrieb er drei Sinfonien in 42 Tagen.

4.
Die längste Sinfonie schrieb der Wiener Komponist Gustav Mahler
(1860 – 1911). Sie dauert eine Stunde und 34 Minuten.

5.
Die längste Oper schrieb Richard Wagner (1813 – 1883). Sie dauert
(ohne Pausen) fünf Stunden und fünfzehn Minuten: „Die Meistersinger
von Nürnberg".

6.
Die meisten Musikstücke komponierte Georg Philipp Telemann
(1681 – 1767): 44 Passionen, fast 700 Orchesterstücke, 40 Opern und
vieles mehr.

7.
Die meisten Meister-Titel im Skifahren gewann Christel Cranz (geb.
1914): Zwölf Titel und eine Olympische Goldmedaille.

8.
Das größte Volksfest der Welt ist
das Oktoberfest in München mit
mehr als 6 Millionen Besuchern
pro Jahr.

9.
Eine der ältesten Taschenuhren
der Welt, wahrscheinlich aber nicht
die älteste, ist die von Peter Henlein
in Nürnberg. Um 1510 baute er
Uhren aus Eisen, die 40 Stunden
liefen.

Uhren aus der Zeit Peter Henleins

Herzlichen Glückwunsch
zum Baby!

Zum Führerschein

Zur Silberhochzeit
alle guten Wünsche

25

ZUR
GOLDENEN
HOCHZEIT
DIE BESTEN
WÜNSCHE

50

ZUR
HOCHZEIT

HERZLICHEN
GLÜCKWUNSCH

Herzliche
Glückwünsche

ZUM 75.
GEBURTSTAG

1. Was wünscht er sich denn?

(Claudia und Peter)

Du Claudia, am Samstagabend bin ich nicht da.

Schade. Wo gehst du denn hin?

Ich bin eingeladen. Mein Großvater feiert seinen fünfundsiebzigsten Geburtstag. Hast du eine Ahnung, was ich ihm schenken kann?

Wünscht er sich irgendwas? Eine Kiste Zigarren oder eine Flasche Wein?

Nee, der raucht nicht und trinkt keinen Alkohol. Und er wünscht sich, daß ich ein fleißiger, erfolgreicher Mensch werde!

Das ist zuviel!

Das meine ich auch.

Kann er noch lesen?

Klar. Aber ich weiß nicht, was ihm gefällt.

Bring ihm doch Blumen mit.

Davon kriegt er genug von den Verwandten. Irgendein richtiges Geschenk, dachte ich. Er schenkt mir jedesmal zwanzig Mark zum Geburtstag.

Weißt du was? Schenk ihm doch ein Bild! Das Foto, das ich neulich gemacht habe, du auf deinem Motorrad.

Das finde ich eine prima Idee!

2. Na, wie war's denn?

Am Sonntagabend treffen sich Claudia und Peter in der Diskothek.

Na, wie war's denn auf dem Geburtstag? Hast du dich sehr gelangweilt? Erzähl mal!

Du, überhaupt nicht! Die Onkel und Tanten, na ja, die kannst du vergessen. Sagt die Tante Lina zu mir: „Ach, was bist du groß geworden!", und dann hat sie gerechnet und hat festgestellt, daß sie mich vor sechzehn Jahren zum letzten Mal gesehen hat. Da war ich zwei! Und der Onkel Fritz hat den anderen Zigaretten angeboten, und zu mir hat er gesagt: „Na, junger Mann, du rauchst wohl noch nicht." „Danke", habe ich gesagt, „dein Kraut mag ich sowieso nicht!" Na, und dann haben sie sich über das Wetter unterhalten und über früher. Weißt du, „Früher war's im Sommer wärmer und im Winter kälter und alles war billiger und die Luft war sauberer und die jungen Leute waren höflicher", und so weiter.

Und dein Opa, hat der sich über das Bild gefreut?

Und wie! Du, der Opa war klasse! Der hat sich gleich zu mir gesetzt, und dann wollte er alles wissen über meine Maschine.

Wie groß, wie schnell, wie teuer, wieviel PS, wieviel Sprit sie braucht und so. Und dann hat er von früher erzählt, wie er mit dem Motorrad von München nach Wien gefahren ist. Da gab's überhaupt noch keine richtigen Straßen, und das Ding war jeden zweiten Tag kaputt. Aber er hat es immer selbst repariert. Also, der Opa, der gefällt mir. Den mußt du kennenlernen.

Gern. Wollen wir jetzt tanzen?

Übungen

1.

Das ist Opa auf seinem neu__
Motorrad. Damals war es das
teuer__ und schnell__ .
Die Straßen waren damals viel
schlecht__ als heute.
Das Benzin war aber nicht bil-
lig__ .

Das ist Peter auf seiner neu__
Maschine. Sie ist klein__ als
Opas Motorrad, sie ist auch bil-
lig__ , aber sie ist schnell__ .
Und sie verbraucht auch nicht
. . . . Sie ist die schön__ , sagt
Peter.

2. Was wünschen Sie sich zum Geburtstag?

☐ eine . . . Wohnung   (größer, billiger, schöner als
                               die, die ich habe)

☐ eine . . . Stellung   (neu, interessanter als die,
                               die ich jetzt habe)

☐ einen . . . Chef   (er soll höflicher sein als der,
                               den ich jetzt habe)

☐ eine . . . Freundin   (ich habe im Augenblick keine)

3. Ihr Freund hat Geburtstag? Was schenken Sie ihm denn?
   a) Ihre Freundin hat Geburtstag? Was schenken Sie . . . ?
   b) Ihr Mann hat Geburtstag?
   c) Ihre Tochter hat Geburtstag?
   d) Ihre Freunde haben Hochzeit?
   e) Ihre Kinder haben das Abitur gemacht?

1. Die lieben Verwandten

„Du Papi", fragt der kleine Thomas, „bin ich mit Onkel Hans verwandt?"
„Ja", sagt sein Vater, „das ist doch mein Bruder."
„Und Tante Petra?"
„Das ist seine Frau. Die Frau meines Bruders ist deine Tante. Und Onkel Martin ist der Mann meiner Schwester. Er ist auch dein Onkel."
„Oh",sagt Thomas, „muß ich das alles behalten?"
„Nein, das brauchst du nicht zu behalten."
„Bist du mit Mami verwandt?"
„Nein, Mami ist doch meine Frau."
Thomas denkt nach.
„Komisch", sagt er, „woher kennt ihr euch denn?"

2. Eine berühmte Familie

VORFAHREN

Veit Bach, Bäcker, um 1550
Johann, Musiker, 1580−1626
Christoph, Organist, 1616−1661
Ambrosius, Stadtmusiker, 1645−1695

Johann Sebastian Bach, Komponist, 1685−1750

NACHFAHREN

13 Kinder aus zwei Ehen, darunter die Komponisten
Wilhelm Friedemann, 1710−1784
Carl Philipp Emanuel, 1714−1788
(der „Berliner" oder „Hamburger" Bach)
Joh. Christoph Friedrich, 1732−1795 (der „Bückeburger" Bach)
Johann Christian, 1735−1782
(der „Mailänder" oder „Londoner" Bach)

Das Wetter

1.

	war		letztes Jahr, letzten Monat, letzte Woche, vorgestern, gestern?
Wie	ist	das Wetter	heute?
	wird		morgen, übermorgen, nächste Woche, nächsten Monat, nächstes Jahr?

2. Es war – ist – wird

gut, schön, schlecht, warm, kalt
genauso gut, schön, schlecht, warm, kalt wie . . .
besser, schöner, schlechter, wärmer, kälter als . . .

3. Was für Wetter hatten Sie im Urlaub?
Das beste (. . .) seit Jahren.

4. War es früher im Sommer . . . ?
War es im Winter . . . ?

5. Wie warm (kalt) ist es?
Es sind . . . Grad.

6. Wieviel Grad haben wir?
Wir haben . . . Grad Kälte
(unter Null).
Wir haben . . . Grad Wärme
(über Null).

Eine Seite aus der Gutenberg-Bibel, 1454

Kommissar X denkt schnell

Am Montagmorgen kommt Kommissar X gutgelaunt ins Büro.

„Na, wie geht's?" fragt er seinen Kollegen. „Haben Sie ein schönes Wochenende gehabt?"

„Danke, ja. Ich war beim Angeln."

„Hätte ich mir denken können. Und – haben Sie Glück gehabt?"

„Nee, diesmal nicht. Bei dem Wetter!"

„Was gibt's denn Neues?"

„Einen Einbruchdiebstahl, in der Nacht von Freitag auf Samstag, im Villenviertel."

„Und was ist gestohlen worden?"

„Ein wertvolles Buch."

„Was? Ein Buch? Das müssen aber Spezialisten gewesen sein. Eine Gutenberg-Bibel, oder was?"

„Das nicht, aber so was Ähnliches. Ist fünfzigtausend Mark wert. Aber das ist noch nicht alles. In dem Buch lag eine seltene Briefmarke."

„Aha. Also doch Spezialisten. Die müssen das Haus aber gut gekannt haben. – Gibt es Hausangestellte?"

„Nein."

„Ist der Bestohlene versichert?"

„Ja. Sehr hoch sogar. Mit zweihundertfünfzigtausend Mark."

„Ein Haufen Geld. Und kann er beweisen, daß er das Buch und die Briefmarke gehabt hat?"

„Ja. Er hat beides von seinem Onkel geerbt. Der soll ein bekannter Briefmarkensammler gewesen sein. Wir haben sein Testament. Hier ist eine Kopie davon."

„Und? Ist es echt?"

„Das wird gerade geprüft."

Außerdem bekommst Du die alte Bibel, die rechts im Bücherregal steht. Sie ist mindestens fünfzigtausend Mark wert. Sei vorsichtig damit, denn – in diesem Buch liegt meine wertvollste Briefmarke! (Zwischen Seite hundertdreiundneunzig und hundertvierundneunzig.) Sie gehört Dir! Wenn es Dir mal schlecht geht, kannst Du sie verkaufen. Es weiß übrigens niemand, daß ich diese Marke besessen habe.

Kommissar X denkt nach.

„Macht der Mann einen guten Eindruck?"

„O ja. Sieht ziemlich reich aus. Er trägt teure Anzüge, und sein Haus ist gut eingerichtet."

„Das sagt gar nichts. Wovon lebt er?"

„Das ist nicht bekannt. Vielleicht von seiner Erbschaft."

„Ist geprüft worden, ob es den Onkel wirklich gegeben hat?"

„Das wird gerade gemacht."

„Eigentlich brauchen wir das nicht mehr", sagt Kommissar X. „Schicken Sie einen Wagen hin und lassen Sie den Mann festnehmen!"

Übungen

1. Haben . . . . . gehabt?

   Haben Sie ein schönes Wochenende gehabt?

   (ein interessanter Urlaub, ein schlimmer Unfall, schöne Ferien, Glück, keine Angst, eine gute Idee)

2. . . . . . worden; wird

   Ist das Testament geprüft worden?
   Das wird gerade geprüft!
   a) Ist der Mann festgenommen worden?
   b) Ist der Brief geschrieben worden?
   c) Ist Ihr Wagen repariert worden?
   d) Ist die Polizei geholt worden?

3. muß . . . . . sein
              gewesen sein

   Ist er reich? – Ja, er muß reich sein.
   War er reich? – Ja, er muß reich gewesen sein.
              Nein, er kann nicht reich gewesen sein.
   a) Ist sie hübsch?
   b) Ist er freundlich?
   c) Sind sie interessant?
   d) Ist das wertvoll?

4. Was für einen Eindruck macht er?
                           hat er gemacht?
                                      Einen guten.
   (schlecht, sympathisch, interessant, unfreundlich)

5. Sei vorsichtig! Seien Sie vorsichtig beim Autofahren!
   (Bergsteigen, Motorradfahren, Skifahren, Sport)

Kommissar X stellt Fragen

1. Kann er beweisen,

Nein, beweisen kann er nicht,

daß bei ihm eingebrochen worden ist? (!)

2. War es bekannt,

Nein, es war nicht bekannt,

daß er einen reichen Onkel hatte? (!)

3. Hat er gesagt,

Nein, er hat nicht gesagt,

daß er den Einbrecher gesehen hat? (!)

4. Haben Sie geprüft,

Nein, wir haben nicht geprüft,

ob die Bibel ihm gehörte? (!)

5. Wissen Sie,

Nein, wir wissen nicht,

ob es den Onkel wirklich gegeben hat? (!)

6. Können Sie mir sagen,

Nein, ich kann Ihnen nicht sagen,

ob das Testament echt ist? (!)

7. Wissen Sie,

Nein, ich weiß nicht,

wovon er lebt? (!)

8. Was wissen Sie denn

Ich weiß nichts

über den Einbruch? (!)

Das hätte ich mir denken können, sagt Kommissar X, daß ich den Fall selbst bearbeiten muß.

Konversation

1. Was machen Sie am Wochenende?

A: Ich wünsche ein schönes Wochenende.
B: Danke gleichfalls. Was machen Sie denn?
A: Ich gehe zum Fußball. Und Sie?
B: Ich weiß noch nicht. Vielleicht gehe ich zum Baden. Das hängt vom Wetter ab.
A: Hoffentlich wird's besser. Dann bis Montag.
B: Viel Spaß.

2. Na, wie war's?

A: Na, wie war's beim Baden?
B: Beim Baden? Bei dem Wetter? Sind Sie auf dem Fußballplatz nicht naß geworden? Wie war denn das Spiel?
A: Es soll gut gewesen sein, aber ich war nicht da.
Am Samstag ist meine Frau krank geworden, da mußte ich erst mal den Arzt holen, zur Apotheke fahren, und so weiter.

B: Was hat sie denn?
A: Nichts Schlimmes. Eine normale Grippe. Es geht ihr schon wieder besser.
B: Na, hoffentlich wird sie bald wieder gesund. Ich wünsche weiterhin gute Besserung!
A: Danke.

3. Bitte, wie komme ich ... ?

A: Bitte, wie komme ich zum Deutschen Museum?
B: Von hier aus? Am besten zu Fuß. Lassen Sie den Wagen hier stehen.
A: Ich habe mein ganzes Gepäck drin.
B: Macht nichts. Hier ist noch nie was gestohlen worden. Ich passe schon auf. Aber lassen Sie mir den Schlüssel da.

117

Betrüger verhaftet

Am Montag wurde der sechsundvierzigjährige Reinhard M. in seinem Haus in der Parkstraße verhaftet. M. hatte in der Nacht zum Samstag die Polizei gerufen, weil ihm angeblich ein Einbrecher ein wertvolles Buch und eine seltene Briefmarke gestohlen hatte. Wie M. behauptete, stammte beides aus dem Besitz seines Onkels, der vor zwei Jahren starb und tatsächlich ein bekannter Briefmarkensammler war. Wie sich herausstellte, hatte M. den Einbruch vorgetäuscht, um eine hohe Versicherungssumme zu kassieren. Weder das Buch noch die Briefmarke waren jemals in seinem Besitz. Ein Testament, das er als Beweis vorlegte, erwies sich als Fälschung.

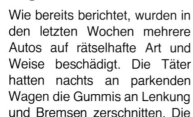

Rätselhafte Sachbeschädigungen aufgeklärt

Wie bereits berichtet, wurden in den letzten Wochen mehrere Autos auf rätselhafte Art und Weise beschädigt. Die Täter hatten nachts an parkenden Wagen die Gummis an Lenkung und Bremsen zerschnitten. Die Schäden waren zunächst nicht bemerkt worden, so daß es in einigen Fällen zu gefährlichen Situationen kam, weil die Autobesitzer mit defekten Bremsen losfuhren.

Die Polizei hatte jugendliche Täter vermutet, aber wie sich jetzt herausstellte, sind die Schäden von Mardern angerichtet worden.

„Auch Marder brauchen Beschäftigung, die sie in den Großstädten nur noch selten finden", erklärte dazu ein Zoologe vom Tierpark Hellabrunn.

Diese Wendungen finden Sie oft in Zeitungen

1. Wie vermutet,
   Wie bereits berichtet,
   Wie schon bekannt,
   Wie schon gemeldet,
   Wie sich erwies,
   Wie sich herausstellte,
   Wie er erklärte,
          behauptete,
          meinte,
          sagte,   war (hatte) . . . .

2. um zu

   a) Goethe ging nach Straßburg, um dort zu studieren.
   b) Viele verreisen, um neue Menschen kennenzulernen.
   c) Sie ging nach Paris, um Französisch zu lernen.
   d) Wir gehen in die Post, um zu telefonieren.

3. parken – parkend

   Die Autos, die in der Schillerstraße parkten, wurden beschädigt.
   Die in der Schillerstraße parkenden Autos wurden beschädigt.
   a) spielen – Achtung! Spielende Kinder!
   b) laufen – Mit laufendem Motor.

4. ab-, los-, wegfahren

   a) Vorsicht! Der Zug fährt ab!
      Der Zug ist abgefahren.
      Das Schiff fährt um drei Uhr ab.
   b) Also bis morgen. Wir fahren um sechs Uhr los.
      Sie kommen aber früh. Wann sind Sie denn losgefahren?
   c) Herr Meyer ist nicht da. Er ist weggefahren.

Auch eine Unterhaltung
(Ein Polizist und ein Jugendlicher)

P: Wo waren Sie gestern abend?
J: Warum wollen Sie das wissen?
P: Ich habe Sie gefragt, wo Sie gestern waren!
J: In einer Diskothek.
P: In welcher?
J: Im Big Apple.
P: Wo ist die?
J: In der Türkenstraße.
P: Gehen Sie da oft hin?
J: Sooft ich Lust habe.
P: Und wie oft ist das?
J: Zwei- bis dreimal in der Woche.
P: Sind Sie dort bekannt?
J: Ich glaube schon. Fragen Sie doch den Besitzer.
P: Darf ich Ihren Ausweis sehen?
J: Den habe ich nicht bei mir.
P: Haben Sie Ihren Führerschein bei sich?
J: Hier! Und jetzt sagen Sie mir endlich, was Sie von mir wollen!
P: Letzte Nacht sind Autos beschädigt worden, am Stadtpark.
J: Was habe ich damit zu tun?
P: Sie treffen sich doch auch mit anderen Jugendlichen im Stadtpark?
J: Ja. Aber ich beschädige keine Autos!

Hier, habt ihr das gelesen?
Was denn?
Da haben Marder die Gummis an Autos zerfressen.
Guten Appetit!
Sehr komisch.
Gar nicht komisch. Mich hat gestern ein Polyp gefragt, wo ich vor-
gestern abend war. Immer die Jugendlichen.

Darf ich mal Ihren Führerschein
sehen?
Den haben Sie mir doch schon
vorige Woche abgenommen!

1. Rechtschreibung gut — Grammatik mangelhaft

Die Industrie hofft, daß er ein Bestseller wird: der Übersetzungscomputer, an dem jahrelang gearbeitet worden ist. Das Gerät sieht aus wie ein größerer Taschenrechner, dessen Zahlen durch Buchstaben ersetzt sind. Vorläufig kann dieser elektronische Dolmetscher für sechs Weltsprachen programmiert werden: Englisch, Deutsch, Französisch, Italienisch, Spanisch und Japanisch. An weiteren Sprachen wird gearbeitet. Das Programm für eine Sprache enthält 1500 Wörter und dazu noch etwa fünfzig nützliche Redewendungen.

Und so funktioniert der Übersetzungscomputer: Das gesuchte Wort wird eingetastet wie auf einer Schreibmaschine, und sofort erscheint die Übersetzung in Leuchtschrift.

Allerdings: Die Grammatik ist nicht so ganz richtig. Statt „Können Sie einen Arzt vorschlagen?" sagt der Computer: „Können Sie vorschlagen einen Arzt?"

Das ist zwar verständlich, aber falsch ist es trotzdem, und deshalb sollen die Programme noch verbessert werden.

Außerdem soll die Kapazität vergrößert werden: 3000 Wörter, so sagen die Hersteller, soll der Computer in absehbarer Zeit „können". Dann wird auch das Fragezeichen nicht mehr so häufig aufleuchten, das jetzt immer dann erscheint, wenn das Gerät etwas nicht „versteht".

21 A

2. Ein schwieriger Fall

(Vertreterbesuch an der Tür)

V: Entschuldigung, haben Sie einen Augenblick Zeit?

X: Eigentlich nicht. Sie sehen doch, daß ich mich gerade rasiere!

V: Es dauert nicht lange. Ich möchte Ihnen nur unseren neuesten Sprachcomputer zeigen. Der ist in Amerika entwickelt worden und erst seit kurzem auf dem deutschen Markt.

X: So? Und was kann der?

V: Englisch, zum Beispiel.

X: Ich dachte, die Amerikaner können Englisch!

V: Ja, aber – nein, so ist das nicht. Der Computer kann auch Deutsch.

X: Dann brauche ich keinen. Deutsch kann ich selbst.

V: Also hören Sie, das ist so: Wenn Sie ein deutsches Wort haben und wissen wollen, was es auf englisch heißt . . .

X: Wozu soll ich das wissen?

V: Nehmen wir an, Sie verreisen nächste Woche . . .

X: Ich verreise nicht, ich habe keinen Urlaub mehr.

V: Ja, ja, gut, aber nehmen wir an, Sie sind irgendwo im Ausland, und Sie suchen irgendwas. Sagen Sie mir mal irgendein Wort!

X: Restaurant.

V: Also gut, Restaurant. Jetzt drücke ich hier die Tasten, R E S T A U R A N T , und hier, sehen Sie, sofort erscheint das Wort hier oben.

X: Das wußte ich ja schon.

V: Nein, das ist jetzt Englisch.

X: Wieso ist das jetzt Englisch?

V: Das ist auf englisch dasselbe.

X: Wenn es auf englisch dasselbe ist, wozu brauche ich dann einen Computer? Hören Sie mal zu, Sie stehlen mir die Zeit, Sie Betrüger Sie! Raus hier, sonst hole ich die Polizei!

Übungen

1. wird – werden – geworden

   Das Benzin wird teurer.

   Das Benzin ist teurer geworden.

   a) Ich glaube, er wird krank.
   b) Es regnet. Sie wird naß.
   c) Das Wetter wird schön.
   d) Es wird kalt.
   e) Die Kinder werden groß.

2. ist – sind . . . worden

   Der Einbrecher hat das Buch gestohlen.

   Das Buch ist (von dem Einbrecher) gestohlen worden.

   a) Herr M. hat das Testament gefälscht.
   b) Herr M. hat die Polizei gerufen.
   c) Herr M. hat den Einbruch vorgetäuscht.
   d) Marder haben die Autos beschädigt.
   e) Die Polizei hat die Schäden nicht bemerkt.

3. muß – soll . . . gewesen sein

   War das ein Spezialist? – Das muß einer gewesen sein.
   Das soll einer gewesen sein.

   a) War das ein Einbrecher?
   b) Waren das Jugendliche? (. . . welche . . .)
   c) War das eine Dame?
   d) War das ein Betrüger?
   e) Sie war nicht im Büro. War sie krank? Sie muß . . . .
   f) Er war nicht im Kino. War er zu müde?
   g) Sie sind nicht in Urlaub gefahren. Haben sie kein Geld gehabt?
   h) Er ist festgenommen worden. Hat er keinen Ausweis gehabt?

21 C

1. Die Flugversuche Lilienthals

Otto Lilienthal, der das Buch „Der Vogelflug als Grundlage der Fliegekunst" veröffentlichte, hat seine Theorie in die Praxis umgesetzt und ein Fluggerät konstruiert, mit dem er nach einem Anlauf von einem Hügel in die Luft entschwebte, kurze Zeit flog und dann im Tal landete.

Lilienthal berichtet: „ . . . Schon nach kurzer Zeit spürt der Fliegende, daß er von der Luft sicher getragen wird, während ihn die Menschen tief unten angstvoll beobachten."

(Aus einer Zeitung des Jahres 1891)

2. Jetzt wissen Sie:

a) Lilienthal hat   ein Fluggerät konstruiert
    und ist   damit kurze Zeit geflogen.

Das ist die wichtigste Information des Textes.

b) Er hat ein Buch veröffentlicht, das mit „Flug" und „Fliegen" zu tun hat.

c) Der Fliegende (= der Mensch, der fliegt) wird von der Luft sicher getragen. (Er hat keine Angst.)
Aber die (anderen) Menschen haben Angst.

3. Versuchen Sie, den Text zu übersetzen!

a) Buch – Theorie   (die Theorie in die
b) konstruieren – Praxis   Praxis umsetzen)
c) fliegen – landen
d) Luft – tief unten
e) sicher – angstvoll

Was heißt „spüren" und „beobachten"?

128

Es ist ja so still da drin!
Kein Wunder! Die Batterien der Computer sind alle.

Er hat wieder mal den größten Lautsprecher.

Ein liebenswürdiger Exportschlager

1. Geschichte und Charakteristik des Gartenzwergs

Woran denken Sie im Zusammenhang mit den großen Ausstellungen und Industriemessen in Hannover, Düsseldorf, Frankfurt, Nürnberg, Leipzig, Basel und Wien? Natürlich an Kraftfahrzeuge, Maschinen, Spielzeug, optische Geräte und chemische Erzeugnisse aus Deutschland, Uhren aus der Schweiz und Skier aus Österreich.

Zu den Exportschlagern der Bundesrepublik Deutschland gehört aber auch ein anderes Produkt, über das viele „moderne" Deutsche nicht gern reden:

der Gartenzwerg.

Dieser gemütliche kleine Bursche hat sich seit seiner Erfindung im Jahre 1870 in Gräfenroda (Thüringen) kaum verändert.

Er hat eine gebräunte Haut und einen grauen Bart, und sein Alter ist unbestimmt. Er trägt eine rote Zipfelmütze, lächelt und macht nie ein unfreundliches Gesicht. Er steht entweder mitten im Garten, oder er liegt versteckt im Gras, raucht Pfeife oder trinkt Wein. Es gibt auch den „gebildeten" Gartenzwerg, der ein Buch auf den Knien hat.

131

2. Beruf und wirtschaftliche Bedeutung des Gartenzwergs

Von Beruf ist der Gartenzwerg Gärtner (dann schiebt er eine Schubkarre oder arbeitet mit Gießkanne und Spaten), Bergmann (auf Wunsch mit elektrischer Laterne), Jäger, Angler oder Sänger. Sein liebstes Instrument ist die Ziehharmonika.

Mit modernen Geräten, mit Autos oder Fotoapparaten, kann er nicht umgehen. (Solche Zwerge kauft niemand, sagen die Hersteller.)

Die Nachfrage nach Gartenzwergen steigt ständig, und das Angebot ist entsprechend: Rund vierhundert verschiedene Modelle sind auf dem Markt. Der größte Hersteller produziert jährlich über 800 000 Exemplare, von denen ein Drittel in den Export geht.

Die Intellektuellen ärgern sich über diesen internationalen Erfolg des lustigen Männchens. „Gartenzwerge sind Kitsch", sagen sie.

Es gibt allerdings auch andere Meinungen darüber. Ein Schriftsteller hält ihn für das Symbol des Protestes gegen den Fortschritt. Ein Gartenzwerg im Vorgarten bedeutet, so meint er, „Hier wohnen Gemütsmenschen".

3. Der Gartenzwerg und das andere Geschlecht

Gartenzwerge sind immer männlich. Es ist zwar versucht worden, weibliche Gartenzwerge auf den Markt zu bringen, aber die wollte niemand haben.

„Wie kann man sich nur solchen Kitsch in den Garten stellen!"

Übungen

1. gehören zu

   a) Welche Länder gehören zu Europa?
   b) Welche Hauptstadt gehört zu welchem Land?
   (Rom gehört zu Italien; Paris, Madrid, Lissabon, Brüssel, Kopen-
   hagen, Stockholm, Oslo, Helsinki, Warschau, usw.
   Beirut gehört zum Libanon; Bagdad (Irak);
   Bern gehört zur . . . ; Bonn, Moskau (UdSSR), Istanbul;
   Amsterdam gehört zu den Niederlanden; Washington (USA).

2. denken an – woran – daran

   a) Woran denken Sie? – An meinen Urlaub.
   Ich denke an . . . .
   b) Haben Sie daran gedacht, daß morgen Sonntag ist?

3. nachdenken / reden über

   a) Worüber denken Sie nach?
   Über ein Geschenk für meine Freundin.
   b) Worüber haben Sie geredet? – Über das Wetter.

4. sich ärgern / freuen über –
   worüber – über wen

   a) Worüber ärgern Sie sich?
   Über das Wetter.
   b) Über wen ärgern Sie sich?
   Über meinen Chef.

5. umgehen mit – womit – damit

   a) Können Sie mit einem Spaten umgehen?
   Natürlich kann ich damit umgehen.
   b) Womit? Mit einem Spaten?

6. halten für

   a) Wofür halten Sie das? –   Das halte ich für Weißkohl.
   b) Wofür halten Sie ihn? –   Für einen Betrüger.

Ein Interview

Haben Sie einen Garten?

Nein.

Hätten Sie gern einen?

Darüber habe ich noch nicht nachgedacht. Ein Garten macht viel Arbeit. Aber, ich glaube, ich hätte gern einen.

Wenn Sie einen hätten, würden Sie sich dann einen Gartenzwerg kaufen?

Darüber habe ich auch noch nicht nachgedacht, weil ich keinen Garten habe.
Aber wenn ich einen hätte, würde ich mir auch einen Gartenzwerg kaufen.

Was für einen würden Sie sich kaufen?

Einen lustigen, der Gitarre spielt.

Spielen Sie selbst Gitarre?

Nein, aber ich würde es gern lernen.

Was würden Ihre Nachbarn sagen, wenn Sie sich einen Gartenzwerg kaufen?

Das ist mir ganz egal, was die sagen würden. Ich will mich ja darüber freuen.

Würden Sie sich ärgern, wenn Ihre Nachbarn sich auch einen kaufen?

Nur, wenn sie sich denselben kaufen. Dann würde ich mich tatsächlich ärgern.

Vielen Dank für das Interview.

1. Eine Anfrage
(Zimmerbestellung)

```
Heinz-Jürgen Waldmann              Frühlingstr. 39
                                   85521 Ottobrunn
Hotel Posthorn                     15.11.19..
Frauenstr. 27
60528 Nürnberg


Sehr geehrte Damen und Herren,
bitte, teilen Sie mir mit, ob Sie mir im nächsten Jahr
zur Spielwarenmesse für die Zeit vom 30.Januar bis 5.
Februar ein Einzelzimmer mit Bad (oder Dusche) reservieren
können.
Ich komme am 30. mit dem letzten Flugzeug an und bin
deshalb nicht vor 23 Uhr im Hotel.
Vielen Dank!

Mit freundlichen Grüßen!        H. J. Waldmann
```

2. Die Bestätigung

HOTEL POSTHORN

```
Herrn
Heinz-Jürgen Waldmann          Frauenstraße 27
Frühlingstraße 39              60528 Nürnberg
85521 Ottobrunn
                               28.11.19..


Sehr geehrter Herr Waldmann,
wir haben für Sie in der Zeit vom 30.Januar bis
5. Februar 1991 ein Einzelzimmer mit Bad reserviert.


Mit freundlichen Grüßen
Ihr
Hotel Posthorn
```

Ihr Horoskop für die Zeit vom 7. 10. bis 13. 10.

STIER

21. – 30. April Im Beruf kleinere Probleme mit der Technik. Lassen Sie sich von Fachleuten beraten. Sie können nicht alles allein machen. Am Wochenende ruhige Tage.

1. – 10. Mai Man kann nicht immer alles haben, was man sich wünscht. Sie müssen früher aufstehen, wenn Sie nicht das Beste verpassen wollen. Eine Reise bringt Ärger, aber es gibt noch mehr Gelegenheiten.

11. – 20. Mai Sie haben gute Chancen, in der nächsten Zeit sehr viel Geld zu verdienen. Allerdings nur, wenn Sie sehr viel mehr arbeiten als bisher.

ZWILLINGE

21. – 31. Mai Sie lernen im Urlaub neue Menschen kennen. Aber Vorsicht! Manche interessieren sich nur für Ihr Geld.

1. – 11. Juni Liebe und Beruf: nichts Neues. Achten Sie auf Ihre Gesundheit.

12. – 21. Juni Warum sind Sie unzufrieden? Nicht jeder, der in der Schule schlecht war, ist deshalb schon ein Genie. Freuen Sie sich über das, was Sie haben. Eine Bewerbung hat Erfolg.

Reklamationen

1. Bitte um Rücknahme

Sehr geehrte Damen und Herren,

am 2o. 3. bestellten wir bei Ihnen ein Fotokopiergerät vom
Typ CX 7o, das mit Rechnung vom 12. 4. geliefert wurde.
Laut Prospekt handelt es sich dabei um ein Gerät, das mit
normalem Papier arbeitet und außerdem besonders leise ist.
Im Gegensatz zu dieser Behauptung stellen wir fest, daß
Ihr Gerät besonders laut ist und daß die Kopien auf norma-
lem Papier von schlechter Qualität sind.

Hätten wir das gewußt, hätten wir uns bestimmt für ein anderes Gerät entschieden.

Wir fordern Sie hiermit auf, das Gerät auf Ihre Kosten
zurückzunehmen.

Hochachtungsvoll!

2. Die Antwort

Wir bedauern, daß Sie mit unserem Kopiergerät CX 7O
nicht zufrieden sind. Wir hatten Ihnen seinerzeit angeboten, das Modell vorzuführen, aber Sie hatten keine Zeit und gaben deshalb eine telefonische Bestellung
auf. Wie Sie wissen, haben Sie auf alle Geräte drei
Monate Garantie. Wir schicken in den nächsten Tagen
unseren Kundendienst und lassen das Gerät überprüfen.

Mit besten Empfehlungen

3. Das verpaßte Oktoberfest

Ein Mann kommt aufgeregt in ein Reisebüro und verlangt den Geschäftsführer.

„Ich habe vor vierzehn Tagen eine Rückfahrkarte nach München bei Ihnen gekauft und ein Hotelzimmer gebucht", sagt er ärgerlich, „vom achten bis zehnten Oktober. Und der Preis war nicht gerade niedrig. Hier ist die Quittung!"

„Ja und?" fragt der Geschäftsführer. „Was ist passiert? War das Zimmer nicht gut?"

„Doch, das war in Ordnung. Aber ich wollte zum Oktoberfest, und das war gerade zu Ende, als ich ankam."

„Hören Sie, das ist doch nicht unsere Schuld, wenn Sie sich im Datum irren!"

„Das hätten Sie mir sagen müssen! Wenn ich das gewußt hätte, wäre ich früher gefahren!"

„Mein Gott", sagt der Geschäftsführer, „das weiß doch jeder, daß das Oktoberfest im September stattfindet. Am ersten Wochenende im Oktober hört es auf."

Der Mann verschwindet wütend.

„Wenn ich der Oberbürgermeister von München wäre", sagt der Geschäftsführer zu seinen Angestellten, „würde ich den Namen ändern lassen. Jedes Jahr kommen ein paar Verrückte und wollen ihr Geld zurück."

Übungen

1. hätte – hätte

   a) Sie haben ihm nicht gratuliert?
      Haben Sie nicht gewußt, daß er Geburtstag hatte?
      Hätte ich das gewußt,
      Wenn ich das gewußt hätte, } hätte ich ihm gratuliert.

   b) Sie haben ihr nicht geholfen?
      Haben Sie nicht gesehen, daß sie einen Unfall hatte?

   c) Sie haben ihm nicht geschrieben?
      Haben Sie nicht gehört, daß er krank war?

2. hätte – wäre

   a) Haben Sie nicht gewußt, daß er kommt?
      Wenn ich das gewußt hätte,
      Hätte ich das gewußt, } wäre ich auch gekommen.

   b) Hast du nicht gewußt, daß sie ins Kino geht?

   c) Haben Sie nicht gesehen, daß er wegfährt?

   d) Haben Sie nicht gehört, daß sie zum Tanzen geht?

3. hätten ... müssen

   a) Habe ich Ihnen das nicht gesagt?
      Nein, aber das hätten Sie mir sagen müssen!

   b) Hat sie Ihnen das nicht gezeigt?

   c) Hat er Ihnen das nicht geschrieben?

   d) Haben sie ihnen das nicht vorgeführt?

Ein paar gute Ratschläge

a) Wenn Sie sich um eine Stelle bewerben:

1. Schicken Sie nie Ihre Originalzeugnisse, sondern immer nur Fotokopien.
2. Bitten Sie um ein persönliches Gespräch.
3. Lassen Sie sich ganz genau sagen, um was für eine Stelle es sich handelt.
4. Versuchen Sie herauszufinden, ob die anderen Mitarbeiter der Firma zufrieden sind.
5. Lassen Sie sich Ihren Arbeitsplatz zeigen.
6. Entscheiden Sie sich nicht sofort.
7. Versuchen Sie, mit dem Geschäftsführer selbst zu sprechen.
8. Versuchen Sie herauszufinden, ob die Kunden mit der Firma zufrieden sind.

b) Wenn Sie ein Gerät kaufen:

1. Lassen Sie sich das Gerät vorführen und erklären.
2. Fragen Sie, wie lange das Gerät schon auf dem Markt ist.
3. Lassen Sie sich ein Preisangebot machen.
4. Fragen Sie nach der Garantiezeit.
5. Fragen Sie, wie lange es dauert, bis der Kundendienst kommt, wenn Sie eine Reklamation haben.
6. Fragen Sie, wie oft das Modell in den letzten Jahren geändert worden ist.
7. Entscheiden Sie sich nicht sofort, sondern lassen Sie sich noch andere Modelle zeigen.
8. Lassen Sie sich eine Quittung, die Garantiekarte und die Gebrauchsanweisung geben.

„Aber Sie wollten doch 'ne Uhr, die richtig geht?"

Wo waren Sie denn heute morgen?
Ich habe mir die Haare schneiden lassen.
In der Arbeitszeit?
Die sind ja auch in der Arbeitszeit gewachsen!

Der Bach
(Dem gleichnamigen Komponisten gewidmet)

Tagtäglich fließt der Bach durchs Tal.
Mal fließt er breit, mal fließt er schmal.
Er steht nie still, auch sonntags nicht,
und wenn mal heiß die Sonne sticht,
kann man in seine kühlen Fluten fassen.
Man kann's aber auch bleibenlassen.

Heinz Erhardt

Wenn ich ein Vöglein wär   Volkslied aus dem 18. Jahrhundert

Wenn ich ein Vög-lein wär und auch zwei Flü-gel hätt,
flög ich zu dir. Weil's a-ber nicht kann sein,
weil's a-ber nicht kann sein, bleib ich all-hier.

1. Sing ein Lied — wenn du mal traurig bist

Ich habe eine Medizin, die hilft für jeden Schmerz,
sie ersetzt mir Aspirin und Baldrian fürs Herz!
Ich hab sie Tag und Nacht bei mir, sie kostet gar kein Geld,
und ich glaube, daß sie dir ebenso gut gefällt.
Weißt du mal nicht mehr aus noch ein, dann sei ein Mann der Tat,
laß allen Kummer Kummer sein, merke dir den guten Rat:

Refrain:
Sing ein Lied — wenn du mal traurig bist,
sing ein Lied — wenn dich kein Mädel küßt,
sing ein Lied — weil du dann leicht vergißt —
Tra-la-la la la la la.
Sing ein Lied — dann lacht der Sonnenschein,
sing ein Lied — dann bist du nicht allein,
sing ein Lied — und du wirst glücklich sein —
Tra-la-la la la la la.

Wenn auch die Leute fragen: „Ob der nichts andres kann?"
Mußt du als Antwort sagen:
„Nun zum Trotz fang ich noch mal von vorne an."

Sing ein Lied — wenn du mal traurig bist,
sing ein Lied — wenn dich kein Mädel küßt,
sing ein Lied — weil du dann leicht vergißt —
Tra-la-la la la la la
tra-la-la la la
tra-la-la la-la-la.

Text und Musik: Ralph Maria Siegel
© 1941 by Musikverlag Peter Schaeffers

143

2. Man müßte Klavier spielen können

Man müßte Klavier spielen können!
Wer Klavier spielt, hat Glück bei den Frau'n!
Weil die Herr'n, die Musik machen können,
schnell erobern der Damen Vertrau'n!
Der Klang des gespielten Klavieres
wirkt auf jede erregend wie Sekt,
und ihre geheimsten Gefühle
werden piano, doch forte geweckt!

Dem Manne, der das kann, macht sie Avancen,
er wird von ihr mit Zärtlichkeit belohnt,
die andern Männer haben keine Chancen,
sie schau'n aufs Instrument und in den Mond!
Man müßte Klavier spielen können!
Wer Klavier spielt, hat Glück bei den Frau'n,
denn nur er kann mit Tönen
den lauschenden Schönen
ein Luftschloß der Liebe erbau'n!

Text: Hans Fritz Beckmann · Musik: Friedrich Schröder
© 1941 by Beboton-Verlag

3. So ein Tag, so wunderschön wie heute

Schau nur in die Sterne, die am Himmel stehn.
Ach, ich blieb so gerne und muß nun leider gehn.

Refrain: So ein Tag, so wunderschön wie heute,
so ein Tag, der dürfte nie vergehn.
So ein Tag, auf den man sich so freute.
Und wer weiß, wann wir uns wiedersehn.
Ach wie bald vergehn die schönen Stunden,
die wie Wolken verwehn.
So ein Tag, so wunderschön wie heute,
so ein Tag, der dürfte nie vergehn.

Text: Walter Rothenburg · Musik: Lotar Olias
© 1954 Tempoton-Verlag

Geheime Wünsche

1. Man müßte

Klavier spielen können,
im Spielkasino gewinnen,
Glück haben,
immer gesund sein,
Geld haben,
nie traurig sein,
nie allein sein,
ein nettes Mädel haben,
einen lieben Mann finden,
eine interessante Arbeit bekommen,
dann wäre alles noch viel schöner!

Wieso? Können Sie nicht Klavier spielen?
Haben Sie noch nie . . . . . ?
Sind Sie nicht . . . . . ?
Haben Sie . . . . . ?
. . . . . . oft . . . . . ?
. . . . . . immer . . . . . ?
Haben Sie kein . . . . . . ?
Haben Sie . . . . ?

2. Das dürfte nicht passieren!

Schon wieder alles kaputt!
D— Fotoapparat
Auto
Fernseher
Fahrrad

Gitarre
Kopiergerät
Telefon

Wieso? D— ist doch noch neu! D— dürfte doch nicht kaputtgehen!

Müssen Schlager so sein?
Eine Diskussion

A: Also, ich finde diese Texte ziemlich blöd! Als ob mir ein Mann gefällt, bloß weil er Klavier spielen kann!

B: Das ist doch ein uralter Schlager! Da warst du noch gar nicht geboren!

A: Na und? Sind die von heute vielleicht besser?

C: Doch, das sind sie. Die politischen Songs gefallen mir prima. Die sind wenigstens ehrlich, da wird nicht soviel von Herz und Schmerz und Heimat geredet.

D: Damit bin ich nicht einverstanden! Das kann man doch gar nicht vergleichen, einen Schlager und einen kritischen Text. Ein Schlager soll doch nur Freude machen.

E: Trotzdem darf er ruhig intelligent sein!

D: Hast du schon mal versucht, einen zu schreiben? Das ist gar nicht so leicht.

F: Also, diesen Text „Sing ein Lied, wenn du mal traurig bist", den finde ich gar nicht so schlecht. Der schadet niemand, und vielleicht macht er manchen Freude.

B: Ich finde auch, daß gute Texte ganz selten sind. Aber darauf kommt es eigentlich gar nicht an. Ich kaufe mir Schallplatten wegen der Musik. Die Texte höre ich mir gar nicht genau an.

A: Über solche Leute wie dich freut sich die Plattenindustrie. Die wollen doch nur verkaufen.

B: Na und? Ich kaufe doch nur, was mir gefällt. Wenn dir die Texte nicht passen, dann geh doch gleich ins Sinfoniekonzert. Da wird wenigstens nicht gesungen.

A: Mit dir kann man nicht diskutieren!

B: Doch! Aber ich streite mich nicht gern. Meinetwegen können die produzieren, was sie wollen. Ich suche mir das aus, woran ich Spaß habe.

Und zwei ernsthafte Texte

1. Ein Kindergedicht aus dem Jahre 1925

Wenn ich auf die Kirchturmspitze könnte,
O, wie schön wär' das!
Ich könnte alles sehen,
Und wär' dem Himmel nahe.

Die Leute wären wie die Zwerge,
Der Strauch und Baum
wie eine Blume,
Und das Vöglein wär' wie ein Käferlein,
das auf der Blume sitzt.

Ich würde die Glocken,
und das Vöglein in der Luft,
Sie singen so lieblich und schön,
Vielleicht würde ich sehen das Gebirge,
Mit seinen weiten Tälern.

Stephani D., 11 Jahre
(Veröffentlicht in
DIE FACKEL, Wien 1925)

2. Leise zieht durch mein Gemüt ...

Lei - se zieht durch mein Ge - müt, lieb - li - ches Ge - läu- -te,

klin - ge, klei-nes Frühlings - lied, kling' hi-naus ins Wei - - - te!

Text: Heinrich Heine (1797-1856) · Musik: Felix Mendelssohn Bartholdy (1809–1847)

147

Die erste Einschienenbahn,
von E. S. Watson

Litfaß-Säule in Berlin
Zeichnung von Heinrich Zille, 1924

Alles schon mal dagewesen!

1. Die Einschienenbahn

Auf der Internationalen Verkehrsausstellung in Hamburg im Jahre 1979 wurde (wieder einmal) eine Einschienenbahn (Monorail) als Verkehrsmittel der Zukunft gezeigt, die sehr viel schneller und leiser ist als die bisherigen Züge. Die Besucher der Ausstellung durften ein paar hundert Meter damit fahren, und alles staunte.

Was die wenigsten wußten: Die Idee ist keineswegs neu.

Schon im Jahre 1884 ließ sich Herr E. S. Watson aus Water Valley am Mississippi eine Hochbahn mit nur einer Schiene patentieren.

„Der Zug kann nicht entgleisen, weil der Schwerpunkt unter der Schiene liegt. Ein weiterer Vorteil dieser Bahn ist, daß der Straßenverkehr unter der Schiene stattfinden kann und dadurch Schranken überflüssig werden", schrieb damals die Zeitschrift „Scientific American". Richtig! Daran hat sich bis heute nichts geändert. Wann bekommen wir nun endlich diese „neue" Bahn?

2. Haben Sie das gewußt?

1877 konstruierte der amerikanische Ingenieur Remington eine Schreibmaschine, die so weit entwickelt war, daß Kaufleute und sogar Privatper-
sonen solch eine Maschine kauften, um ihre Korrespondenz besser und
schneller zu erledigen.

Aber schon zehn Jahre vorher hatte
es die ersten Modelle gegeben. In
Tirol baute Peter Mitterhofer 1866
drei Schreibmaschinen aus Holz.
Aber niemand wollte ihm das Kapital leihen, das er gebraucht hätte,
um sie weiterzuentwickeln. Man
glaubte nicht, daß es sich lohnen
würde, die Maschinen in Serie zu
produzieren.

3. Auch das gab es schon früher, als Sie glauben!

1883 wurden auf einer Ausstellung in Wien folgende Geräte gezeigt:

elektrische Kochplatten und Kochtöpfe
elektrische Staubsauger
Waschmaschinen
elektrische Geschirrspülmaschinen

4. Ein Herr namens Litfaß

Ernst Theodor Amandus Litfaß, Buchdrucker aus Berlin, hat zwar die
nach ihm benannte „Litfaß-Säule" nicht erfunden, aber er hat sie in ganz
Europa populär gemacht. 1854 erhält er die Erlaubnis, 150 Anschlag-
Säulen aufzustellen. Die Reklame mit Plakaten (die er selbst druckt) ist
sein Monopol. Und er wird sogar noch dafür gelobt, weil man seine Wer-
beplakate für eine Verschönerung der Stadt hält!
Für sich selbst macht Litfaß sogar im Theater Reklame: Mitten in einer
Komödie wird plötzlich ein Schlager gespielt, der die Geschäftsleute auf-
fordert, bei Herrn Litfaß Plakate drucken zu lassen.
Der Mann, der als armer Buchdruckerlehrling angefangen hatte, starb als
Millionär.

Übungen

1. Haben Sie gewußt,
   (Wußten Sie schon,)

   daß die Einschienenbahn
   (schon) so alt ist?

   daß Litfaß die Litfaß-Säulen
   gar nicht erfunden hat?

   daß es (schon) im Jahre 1883
   Spülmaschinen gab, die aber erst
   um 1950 in Serie produziert wurden?

   daß die Idee keineswegs
                überhaupt nicht
                gar nicht so
   neu ist?

2. Niemand wollte

   ihm das Kapital leihen.
   ihm glauben.
   ihm Geld geben.
   ihm seine Idee abkaufen.

3. Er hätte

   viel Geld
   Zeit
   Kapital
   Mut   gebraucht,

   um   seine Erfindung

   weiterzuentwickeln.
   in Serie zu produzieren.
   auf den Markt zu bringen.
   zu verbessern.
   bekannt zu machen.
   produzieren zu lassen.

4. Würde es sich lohnen,

   die Einschienenbahn zu bauen?
   eine neue Schreibmaschine zu
   entwickeln?

Konversation

1. Wer denn sonst?

A: Wissen Sie, wer die Litfaß-Säule erfunden hat?

B: Entschuldigen Sie mal, das ist ja nicht gerade eine besonders intelligente Frage!

A: Wieso nicht? Wissen Sie's?

B: Na, der Litfaß natürlich, wer denn sonst?

A: Eben nicht! Der hat sie nicht erfunden, sondern nur bekannt gemacht.

B: Tatsächlich? Wer das nicht weiß, der hält ihn natürlich für den Erfinder.

2. Wann denn sonst?

A: Wissen Sie, wann das Flugzeug erfunden worden ist?

B: Im neunzehnten Jahrhundert, glaube ich. Wer war das noch, Lilienthal, nicht?

A: Falsch! Das war viel früher.

B: Wann denn sonst?

A: Im fünfzehnten Jahrhundert. Die ersten Zeichnungen stammen von Leonardo da Vinci.

B: So? Wer den nicht kennt, hält Lilienthal für den Erfinder.

3. Was denn sonst?

A: Wissen Sie, was der Buchstabe „A" am Auto bedeutet?

B: Klar! Australien!

A: Stimmt nicht!

B: Was denn sonst?

A: Österreich.

B: Wieso denn das?

A: Das heißt Austria. Das ist lateinisch.

B: So? Meinetwegen. Wer kein Latein kann, der weiß das eben nicht!

1.

Sparsamer Sport-Flitzer

In Stuttgart <u>stellte Porsche</u> am Wochenende <u>das Konzept eines „vernünftigen Sportwagens"</u> vor.
<u>Der</u> im Auftrag des Bonner Forschungsministeriums entwickelte „<u>Spar-Flitzer"</u> <u>wird</u> lediglich 8,3 Liter auf 100 Kilometer <u>verbrauchen</u> <u>und</u> durch eine strömungsgünstige Form und einen neuartigen Antrieb <u>sparsamer sein als</u> vergleichbare <u>Limousinen.</u>

2. Fragetechnik

a) Wer?	Porsche
b) Was tat Porsche?	stellte vor
c) Was?	das Konzept eines . . . Sportwagens.
d) Wann?	am Wochenende
e) Wo?	in Stuttgart
f) Wer?	Der „Spar-Flitzer"
g) Was?	wird . . . verbrauchen und sparsamer sein
h) Als was?	als vergleichbare Limousinen.
i) Wodurch?	Durch eine strömungsgünstige Form und einen neuartigen Antrieb.

Konzept = Plan

Porsche	stellte das Konzept	eines Sportwagens vor.
In Stuttgart	stellte Porsche	das Konzept eines Sportwagens vor.

In Stuttgart	stellte Porsche	
	am Wochenende	
	das Konzept eines	
	Sportwagens vor.	

Am Wochenende	stellte Porsche	
	in Stuttgart	
	das Konzept eines	
	Sportwagens vor.	

153

Gute Vorsätze

1. Was Martin im nächsten Jahr alles tun will

Martin ist Junggeselle. Manchmal, wenn er abends allein bei einem Glas Wein sitzt, denkt er über sein Leben nach und beschließt, eine ganze Menge zu ändern.

„Im nächsten Jahr", sagt er dann zu sich selbst, „werde ich

pünktlich aufstehen und in Ruhe frühstücken,

die Bücher, die ich aus der Bibliothek geliehen habe, wieder abgeben,

meine Schulden zurückzahlen und diejenigen Leute erinnern, die mir Geld schulden,

meine Korrespondenz regelmäßig erledigen,

den Geburtstag meiner Großmutter nicht vergessen,

vernünftig Auto fahren,

früher zu Bett gehen,

jeden Morgen alles aufschreiben, was ich am Tag tun will,

weniger trinken,

mir das Rauchen abgewöhnen,

jede Woche meine Sachen in die Reinigung bringen,

regelmäßig zum Friseur gehen,

immer pünktlich sein,

eventuell heiraten,

nichts versprechen, was ich nicht halten kann,

auch nicht mehr lügen!"

2. Was Martin in diesem Jahr alles tun wollte

Als Martin kürzlich eine unbezahlte Rechnung in seinem Schreibtisch suchte („Wenn Sie Ihren Fernseher nicht sofort bezahlen, holen wir ihn wieder ab!" hatte der Händler geschrieben), fand er einen Notizblock. „Im nächsten Jahr werde ich . . . " stand darauf. Martin erinnerte sich, was er eigentlich alles tun wollte. Er las den Zettel aufmerksam durch, zerriß ihn, warf ihn in den Papierkorb und sagte zu sich selbst: „Ich nehme mir vor, mir nie wieder etwas vorzunehmen!"

3. Die private Lotterie

Ein Mann, der die Gewohnheit hatte, während des ganzen Jahres keine Rechnungen zu bezahlen, bekam eine Aufforderung von einem Lieferanten, der sofort sein Geld verlangte.

Darauf schrieb er ihm den folgenden Brief:

„Damit Sie mich nicht noch einmal vergeblich mahnen, will ich

Ihnen mein System erklären. Ich besitze eine große Blumenvase,

in der ich während des Jahres alle Rechnungen sammle.

Am Silvesterabend nehme ich drei heraus und überweise die

Summen am zweiten Januar. Der Rest wird verbrannt.

Falls Sie es für richtig halten, mich noch einmal

mit Ihren Mahnungen zu beleidigen, werde

ich Sie zur Strafe für immer von der

Teilnahme an meiner privaten Lotterie

ausschließen."

werden

1. In Wolfsburg   werden   Volkswagen hergestellt.
   Der Mercedes   wird   in Stuttgart produziert.
   = Jetzt.   (Man kann diese Autos kaufen.)

2. Peter   wird   Lehrer.
       (Er ist in der Ausbildung.)
   Hans   wird   krank.
       (Er hat schon Fieber.)
   Das Wetter   wird   schön.
       (Es hat schon aufgehört zu regnen.)
   Die Computer   werden   teurer.
       (Die Hersteller haben es gesagt.)
   Die Autos   werden   weniger verbrauchen.
   =   (Die Konstruktion ist schon fertig.)
   Man weiß es schon,
   Es ist sicher,
   Es ist bekannt, daß . . .
   Man weiß nur noch nicht,
       wann   Peter seine Prüfung macht.
       Hans wirklich krank ist.
       die Sonne tatsächlich scheint.
       man mehr bezahlen muß.
       die Autos auf den Markt kommen.

3. Peter   wird   (wohl) Lehrer werden.
   Die Autos   werden   (wohl) teurer werden.
   Meyers   werden   (wohl) verreist sein.
   Klaus   wird   (wohl) ein Haus gebaut haben.
   Sie   wird   (wohl) fünfundzwanzig sein.
   = Das nehme ich an, ich weiß es aber nicht genau.

4. Nächstes Jahr   werde   ich verreisen.
   Morgen   werde   ich (endlich) den Brief schreiben.
   = Das nehme ich mir vor. Das will ich tun.

Die neuesten Nachrichten

1. Der Herr Minister meint ...

Hier, haben Sie das gelesen?
Nee, was denn?
Der Minister meint, ein Auto, das
nur fünf Liter braucht, wäre nicht
unmöglich.
Ich habe nichts dagegen!
Und dann hat er noch gesagt, daß
im nächsten Jahrtausend die Woh-
nungen mit Sonnenenergie geheizt
würden.
So? Hat er auch gesagt, womit wir in diesem Jahrtausend heizen sollen?

2. Wissen Sie schon das Neueste?

Wissen Sie schon, daß die neue Einschienenbahn nun doch gebaut wird?
Das wäre dann die schnellste Bahn Europas, hat der Minister gesagt.
So? Eine Bushaltestelle vor meiner Haustür wäre mir lieber!

„Schnell Mutti, der Ofen geht aus!"

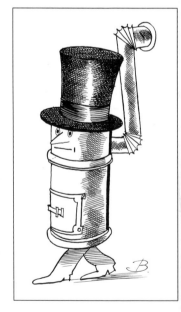

Kluge Sprüche

> *Früh nieder, früh auf,*
> *das ist der beste Lebenslauf.*

> *Wo man singt, da laß dich ruhig nieder,*
> *böse Menschen haben keine Lieder.*

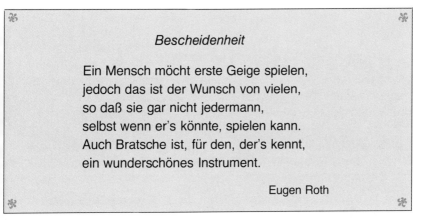

Bescheidenheit

Ein Mensch möcht erste Geige spielen,
jedoch das ist der Wunsch von vielen,
so daß sie gar nicht jedermann,
selbst wenn er's könnte, spielen kann.
Auch Bratsche ist, für den, der's kennt,
ein wunderschönes Instrument.

Eugen Roth

Ohne Worte

159

Ein bemerkenswerter Mann

1. Karl May, alias „Old Shatterhand"

Daß jemand eine Reise macht und hinterher ein Buch darüber schreibt, ist nichts Ungewöhnliches. Daß jemand „Reiseerzählungen" über Länder schreibt, die er nie gesehen hat, und dann so viel Geld damit verdient, daß er einige dieser Länder später tatsächlich besuchen kann, ist schon seltener.

Karl May, 1842 in Ernstthal (Sachsen) geboren, war solch ein Fall. Unter seinen ersten Erfolgsbüchern waren Titel wie „Durchs wilde Kurdistan", „Von Bagdad nach Stambul", „In den Schluchten des Balkan" oder „Am Rio de la Plata".

Seine Landschaftsbeschreibungen, die er aus wissenschaftlichen Werken zusammentrug, waren so korrekt, daß er allgemein für einen Weltreisenden gehalten wurde.

Karl Mays Hauptfiguren „Old Shatterhand" und „Kara Ben Nemsi" wurden so bekannt, daß man den Autor mit ihnen identifizierte.

Und er enttäuschte seine Leser nicht! In Radebeul bei Dresden kaufte er sich ein Haus, das er „Villa Shatterhand" nannte, ließ sich Kostüme und Waffen machen und als „Old Shatterhand" oder „Kara Ben Nemsi" fotografieren. Er wurde selbst zu der Figur, die er erfunden hatte.

Old Shatterhand (Dr. Karl May)
mit Winnetous Silberbüchse.

2. Winnetou und die Folgen

Natürlich wurde Karl May auch um seinen Erfolg beneidet. Die einen druckten seine Bücher unerlaubt nach, die anderen warfen ihm vor, er verderbe die Jugend mit seinen Geschichten von Abenteuern, Raub und Mord.

Er hat die Jugend nicht mehr verdorben als irgendein anderer Schriftsteller.

Seinen „Winnetou", den edlen Indianerhäuptling, kennt heute noch jeder Junge. Und wer das Buch nicht gelesen hat, der kann ihn sich im Film ansehen. Wenn es Winnetou nicht gäbe, würde in der Jugendliteratur etwas fehlen!

In Bad Segeberg in Schleswig-Holstein gibt es jedes Jahr „Karl-May-Spiele". Da kann man sie bewundern, die edlen Indianer und bösen Weißen, die sicheren Schützen und wilden Reiter!

Karl-May-Spiele
in Bad Segeberg

Winnetou und seine Schwester
(Pierre Brice und Marie Versini)

162

Übungen

1. Daß jemand ein Buch schreibt, ist

nicht ungewöhnlich.	nichts Ungewöhnliches.
nicht selten.	nichts Seltenes.
nicht neu.	nichts Neues.

2. Daß jemand Reisebücher schreibt, ohne zu reisen, ist

ungewöhnlicher.	Es gibt nichts	Ungewöhnlicheres.
seltener.		Selteneres.
neuer.		Neueres.

3. Wenn es das nicht gäbe, würde etwas fehlen.
   müßte man es erfinden.
   wäre ich ganz traurig.
   wüßte ich nicht, was ich tun soll.
   hätte ich keine Freude am Leben.
   wäre das Leben langweilig.

4. identifizieren als – sich identifizieren mit

   Der Verhaftete wurde als der schon lange gesuchte Einbrecher identifiziert.
   Können Sie sich mit der Hauptfigur des Romans identifizieren?

5. jemand (um etwas) beneiden

   Gibt es jemand, den Sie beneiden? Und worum beneiden Sie ihn?
   Um . . . . . .

6. Wer Winnetou nicht kennt, der ist dumm.
   den finde ich langweilig.
   dem kann ich nicht helfen.

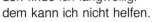

„Also ich weiß nicht: irgend etwas fehlt mir zum Frühstück."

1. Nett, daß Du an mich gedacht hast!

Eva hat eine große Verwandtschaft. Vor den Geburtstagen und Festen muß sie sich immer furchtbar beeilen, um für alle Geschenke zu kaufen und jedem seinen besonderen Wunsch zu erfüllen.

Weihnachten mache ich's einfacher", sagt sie, „da verschenke ich nur Bücher."

Im Januar bekommt sie eine Menge Post. Alle schreiben, um sich zu bedanken.

„Liebe Tante Eva", schreibt ihr kleiner Neffe, „vielen Dank für das schöne Buch! Es ist natürlich schade, daß nur Kochrezepte drin stehen, aber vielleicht hast Du gedacht, daß ich es Mami zum Geburtstag schenken kann."

Ihre Großmutter schreibt in ihrer schönen Handschrift: „Nett, daß Du an mich gedacht hast, liebe Eva. Ob ich den Winnetou ganz durchlesen kann, weiß ich noch nicht, denn es ist ja ein ziemlich dickes Buch, und meine Augen sind nicht mehr so gut."

Und Onkel Fritz, der Junggeselle ist, schreibt: „Du warst ja immer schon ein lustiger Mensch und hast Dir auch dieses Jahr wieder einen kleinen Scherz erlaubt. Vielen Dank also für die „Moderne Methode der Babypflege".

O je, denkt Eva, da habe ich beim Einpacken etwas verwechselt.

2. Was lesen Sie gern?

Abenteuergeschichten
Biographien
Reisebeschreibungen
Romane
Sachbücher
Science Fiction

Und wie soll die Lektüre sein? — Aufregend.
Ausführlich.
Interessant.
Spannend.

Verdienter Hereinfall

Ein Mensch kriegt einen Kitsch gezeigt.
Doch anstatt, daß er eisig schweigt,
Lobt er das Ding, das höchstens nette,
Fast so, als ob er's gerne hätte.
Der Unmensch, kann er es so billig,
Zeigt unverhofft sich schenkungswillig
Und sagt, ihn freu's, daß an der Gabe
Der Mensch so sichtlich Freude habe.

Moral: Beim Lobe stets dran denken,
Man könnte dir dergleichen schenken !

Eugen Roth

Pfeifer bei der Basler Fasnacht

Eine Trommelclique

Laternenträger

Verkehrsverein Basel **Pressemitteilung**

Es beginnt um 4 Uhr früh!

Wo in aller Welt wird eine Volksveranstaltung durchgeführt — die sich über drei volle Tage und Nächte erstreckt —, deren Beginn, ohne Widerspruch zu finden, auf eine Zeit festgelegt ist, in der normalerweise höchstens die Milchmänner ans Aufstehen denken?

Dieses einmalige Kuriosum findet Jahr für Jahr in der schweizerischen Grenzstadt Basel statt, Ende Februar oder Anfang März, und stellt die grossartige Ouverture zur weltberühmten Basler Fasnacht dar.

Lange vor 4 Uhr schon am meist kalten Fasnachtsmontagmorgen strömt die Basler Bevölkerung, ganze Familien inklusive Grossvater und Kindern, aus den äusseren Quartieren zum Stadtzentrum. Die Vorortbahnen, ja selbst die schweizerischen Eisenbahnen führen Extrakurse durch, aus dem Elsass und dem Schwarzwald bringen Cars weitere Zuschauermengen. Und wenn die Turmuhren 4 Uhr schlagen, erlischt die öffentliche Beleuchtung der Innerstadt, und zu Tausenden drängt sich eine erwartungsvolle, freudige Menschenmenge auf den Trottoirs und Plätzen.

Mit dem 4-Uhr-Schlag beginnt an verschiedenen Orten gleichzeitig ein dumpfes Trommeln und helles Pfeifen: die bekannten Basler Trommelcliquen haben die Fasnacht eröffnet!

Ein halbes Hundert grosse Fasnachtsgesellschaften und fast ebenso viele „junge Garden" ziehen durch die engen Strassen, bunt kostümiert mit grotesken Masken vor dem Gesicht und nur von kleinen Laternen beleuchtet, die sie auf dem Kopf tragen, und vom Licht der riesigen transparenten Laternen. Diese bis zwei Meter hohen Laternen, von starken Männern getragen, zeigen in farbiger Karikatur wahre Meisterwerke der bekanntesten Basler Künstler: das Sujet, das die betreffende Clique glossiert.

Die Gaststätten sind mit hungrigen Gästen gefüllt. Es gibt die traditionellen Spezialitäten: Mehlsuppe und Zwiebelwähe.

Das dauert bis zur Morgendämmerung und dann − seltsam genug − zeigt Basel für wenige Stunden − bis 14 Uhr − sein Alltagsgesicht.

Selbst an den Fasnachtsmorgen geht der Basler zur Arbeit. Ob mit Lust und Erfolg ist allerdings eine andere Frage.

An den beiden Nachmittagen (Montag und Mittwoch) ziehen fast 250 Cliquen durch die Strassen.

Der Dienstag − zwischen den Fasnachtstagen Montag und Mittwoch − bleibt vorwiegend für die Kinder reserviert. Ebenfalls an diesem Tag können die Laternen von 09.00 bis 23.00 Uhr an der Laternenausstellung in der Mustermesse besichtigt werden.

Dann erst setzt der schönste Teil der Basler Fasnacht ein: der Abendbetrieb. In den Gaststätten singen die sogenannten „Schnitzelbänkler" ihre Verse und verulken verschiedene Ereignisse des Jahres.

Drei Tage und drei Nächte lang ist die alte Stadt am Rheinknie vom fasnächtlichen Fieber erfasst und ein Spiegelbild des ironischen Humors ihrer Einwohner.

Ein „Schnitzelbänkler"

Das originelle Weinfest an der Deutschen Weinstraße

Deidesheimer Weinkerwe

Oktoberfest München

Mindestens einmal im Jahr „ist was los!" Das gilt für das kleinste Dorf ebenso wie für die größte Stadt. Schützenfeste und Jahrmärkte in Norddeutschland, Weinfeste an Rhein und Mosel, in Baden und Franken, Oktoberfest in München, Karneval in Köln, Düsseldorf und Mainz, Fasching oder Fasnacht im Süden: Die Liste der Veranstaltungen ist lang.

Schützenfest in Bad Driburg auf dem alten historischen Schützenplatz unterhalb der Iburg

Schneverdingen Lüneburger Heide
Der Schlüssel zum Naturschutzpark
Heideblütenfest

Karneval in Köln
Carnival in Cologne
Carnaval de Cologne
Carnaval in Keulen

Konversation

1. Noch nie!

A: Haben Sie schon einmal an einer Karnevalsveranstaltung teilgenommen?

B: Nein, noch nie. Ich bin aus Norddeutschland, da gibt's keine.

A: Würde es Sie interessieren, zur Karnevalszeit mal nach Köln zu fahren?

B: Ich weiß nicht. Nein, ich glaube nicht. Da würde ich in einer riesigen Menschenmenge stehen, keinen Menschen kennen, und vom Karnevalszug würde ich weniger sehen als zu Hause am Fernsehapparat.

A: Aha, Sie sehen sich also den Karneval im Fernsehen an?

B: Ja, jedenfalls den Mainzer. Das macht mir Spaß, wenn die Politiker verulkt werden.

2. Immer!

A: Waren Sie schon mal beim Karneval?

B: Wieso, schon mal? Komische Frage! Immer! Ich war schon dreißig Mal da.

A: Wie bitte? Wie alt sind Sie denn?

B: Dreiunddreißig. Als ich drei war, haben mich meine Eltern zum erstenmal mitgenommen.

A: Und seitdem gehen Sie jedes Jahr hin?

B: Natürlich. Ich bin doch aus Köln! Ich wohne zwar in Frankfurt, aber zum Rosenmontagszug muß ich nach Köln. Da gibt's gar nix!

3. Ach, hören Sie doch auf!

A: Ach, hören Sie doch auf mit Ihrem Karneval. Der wird doch immer langweiliger. Früher, in München auf dem Fasching, da war was los, sage ich Ihnen, da haben wir nächtelang getanzt.

B: Ja, natürlich. Früher war alles besser.

Der Muffel

Ein Mensch, der unfreundlich ist und wenig oder undeutlich redet, heißt im Deutschen „muffelig". (Seien Sie vorsichtig mit dem Wort! Es ist nicht besonders höflich.)
Wer bestimmte Dinge nicht tut oder nicht kauft, ist ein Muffel.

Krawattenmuffel

heißt ein Mensch, der sich nie neue Krawatten kauft oder der überhaupt keine trägt (worüber sich die Industrie ärgert).

Fernsehmuffel

ist einer, der nie fernsieht oder gar keinen Fernseher hat.

Karnevalsmuffel

ist ein Mensch, der nie auf den Karneval geht und die ganze Veranstaltung für Unsinn hält.

Automuffel

ist jemand, der immer mit der Bahn fährt und keinen Führerschein hat, weil er ihn für überflüssig hält.

Sportmuffel

ist jemand, der . . . . . .

Fahrradmuffel

heißt einer, der . . . . . .

Sind Sie auch ein Muffel? Was für einer denn?

1. Die Neugierde der Regierungen

Jeder Mensch möchte gern wissen, was seine Freunde und Nachbarn von ihm halten. Zwar behaupten viele, es sei ihnen völlig gleichgültig, was andere über sie dächten, aber das glaubt ihnen niemand.

Den Regierungen geht es nicht anders. Sie geben erhebliche Summen aus, um von Zeit zu Zeit durch Umfragen feststellen zu lassen, wie sich das Image ihres Landes im Ausland entwickelt. Verschlechtert sich das Bild, versuchen sie, etwas dagegen zu tun, zum Beispiel indem sie Journalisten zu Besichtigungsreisen einladen.

Es ist allerdings eine bekannte Tatsache, daß sich Vorurteile, die zum Teil noch aus der Zeit unserer Großväter stammen, nur sehr langsam abbauen lassen. Eigentlich sollte sich das in unserer Zeit ändern: Noch nie haben so viele Menschen Gelegenheit gehabt, ihre Nachbarn kennenzulernen und sich über ihre Lebensgewohnheiten zu informieren.

2. Was ist eigentlich „typisch"?

Was würden Sie antworten, wenn man Sie fragt, was für Ihr Land „typisch" ist? Könnten Sie sofort aufzählen, was „man" bei Ihnen ißt, wie man sich kleidet, wie lange man täglich arbeitet, was man in seiner Freizeit tut?

Wahrscheinlich müßten Sie länger darüber nachdenken, und auch dann würde Ihnen nicht sehr viel einfallen, was allgemein gültig ist.

Alles das, was andere für typisch halten, trifft vielleicht für Sie gerade nicht zu (oder Sie finden es nicht gut und wollen deshalb nicht zugeben, daß es typisch ist).

Die Menschen, die man kennenlernt, sind jedenfalls meistens nicht „typisch". Wenn Sie in einem Land, das für seine Fußballbegeisterung bekannt ist, den ersten besten Passanten nach den Ergebnissen des Wochenendes fragen, wetten, daß er nicht einmal weiß, was die Bundesliga ist?

Gibt es denn nun gar nichts Typisches? Doch. In jedem Dorf, in jeder Stadt, in jeder Gegend finden Sie Sitten und Gebräuche, Gewohnheiten, Lebensformen und Gerichte, die es nur dort und nirgendwo anders gibt. Und das ist das Interessante am Reisen, diese Dinge herauszufinden!

1. Sind Sie eine „typische" ... , ein „typischer" ... ?

a) Wann steht „man" bei Ihnen auf?   Wann stehen Sie auf?

b) Was frühstückt „man" bei Ihnen?   Was frühstücken Sie?

c) Wann fängt „man" bei Ihnen an zu
arbeiten?   Wann fangen Sie an?

d) Wie lange arbeitet „man" bei Ihnen?   Wie lange arbeiten Sie?

e) Wann ißt „man" bei Ihnen zu Mittag?   Wann essen Sie?

f) Was ißt „man" zu Mittag?   Was essen Sie?

g) Wieviel Urlaub hat „man" bei Ihnen?   Wieviel Urlaub haben Sie?

h) Wann kommt „man" abends nach
Hause?   Wann kommen Sie nach Hause?

i) Was ißt „man" zu Abend?   Was essen Sie?

Vergleichen Sie das, was „man" tut, mit dem, was Sie tun!
Sind Sie eine „typische" ... , ein „typischer" ... ?

2. Finden Sie alles richtig, was „typisch" ist?

a) Wann öffnen bei Ihnen die Geschäfte?
Ist das zu früh, zu spät oder gerade richtig?

b) Wann fängt das Kino an?
Wäre es Ihnen lieber, wenn es früher oder später anfinge?

c) Kann man bei Ihnen sonntags einkaufen?
Finden Sie es gut, so wie es ist?

d) Wann hört abends das Fernsehprogramm auf?
Sollte es nach Ihrer Meinung früher oder später aufhören?

e) Können Sie ein „typisches" Gericht nennen, können Sie es kochen
und mögen Sie es auch essen?

Wenn Sie es könnten, würden Sie etwas ändern, und was?

◁   *Die Kalbshaxe – ein typisch bayerisches Gericht*

ZUTATEN

1 hintere Kalbshaxe	1 Zwiebel
(1000–1500 g)	1 Teelöffel Salz
1½ l Wasser	1 Teelöffel Pfeffer
1 Bund Suppengrün	40 g Margarine

175

Stimmt denn das auch?
(Bitte nicht weitersagen!)

1.

Auf eine Umfrage im Jahre 1969 antworteten Befragte fast aller Nationalitäten:

Die Deutschen sind gute Arbeiter
tüchtige Arbeiter
ein hart arbeitendes Volk.

Im Jahre 1979 gab das Institut der Deutschen Wirtschaft bekannt:
Metallarbeiter in der Bundesrepublik arbeiten am allerwenigsten.

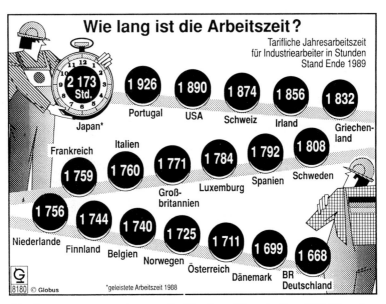

Die Japaner waren also am fleißigsten. Sie arbeiten 505 Stunden mehr im Jahr als die Deutschen. Die Dänen arbeiteten fast so wenig (oder fast so viel) wie die Deutschen, die Österreicher immerhin 57 Stunden mehr. Und alle anderen waren wesentlich fleißiger und hatten weniger Urlaub.

2. Kennen Sie diesen alten Witz?

A: Im Jahr 2000 wird nur noch donnerstags gearbeitet.
B: So? Jeden Donnerstag?

176

Verbesserungsvorschläge

1.

Der Münchner Komiker Karl Valentin hat sich schon vor Jahrzehnten um eine Lösung des Verkehrsproblems bemüht. Er sagte:

> „Mein Prinzip wäre folgendes:
> Am Montag dürfen in ganz München nur Radfahrer fahren, am Dienstag nur Automobile, am Mittwoch nur Droschken (Taxen), am Donnerstag nur Lastautos, am Freitag nur Straßenbahnen, am Samstag nur Bierfuhrwerke. Die Sonn- und Feiertage sind nur für Fußgänger. Auf diese Weise könnte nie mehr ein Mensch überfahren werden."

2. Konversation

A: Kennst du Karl Valentin?

B: Den Komiker? Natürlich, wer kennt den nicht!

A: Weißt du auch, was für Vorschläge der für den Straßenverkehr gemacht hat?

B: Ja, das habe ich mal gelesen. Das war doch diese Sache, montags die Radfahrer, dienstags die Autofahrer, mittwochs Taxen, donnerstags Lastwagen, und so weiter, nicht?

A: Ja, und sonntags und feiertags die Fußgänger.

B: Verrückter Kerl!

A: So, findest du? Heute hätte der Chancen, Verkehrsminister zu werden!

3. Aus der Zeitung

Automobilfreier Sonntag gefordert

Mehrere politische Gruppen in der Schweiz setzen sich für einen automobilfreien Sonntag im Monat ein. Die Bevölkerung solle wieder mehr radfahren. Radfahren sei energiesparend, umweltfreundlich und gesund.

Der Hafen von Lindau

1. Keine Panik!

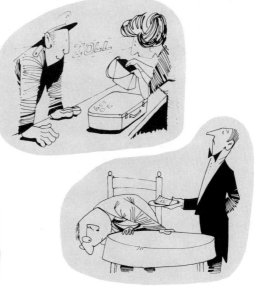

Auf Reisen können unangenehme Dinge passieren. Das wünschen wir Ihnen zwar nicht, aber für den Fall, daß Sie doch einmal in eine schwierige Lage kommen — nur keine Panik!

a) Sie stehen an der Paßkontrolle, der Grenzpolizist möchte Ihren Paß sehen — Sie suchen in allen Taschen — nicht da! Weg! Verloren!

b) Sie stehen am Zoll, der Beamte fragt: „Haben Sie was zu verzollen?" Sie sagen: „Nein, ich habe nichts." Er glaubt Ihnen nicht und sagt: „Machen Sie mal Ihren Koffer auf!" Sie suchen den Kofferschlüssel — nicht da! Kurz vorher hatten Sie ihn noch. Weg! Verloren!

c) Sie sitzen im Restaurant, wollen die Rechnung bezahlen und dem Ober ein Trinkgeld geben. Sie suchen Ihr Portemonnaie mit Ihrem ganzen Bargeld — nicht da! Weg! Verloren! (Oder gestohlen?)

d) Sie stehen im Hotel an der Kasse, der Kassierer gibt Ihnen die Rechnung, Sie suchen Ihre Brieftasche, Ihre Reiseschecks, Ihre Kreditkarten — weg! Geklaut!

Und nun? Nur keine Panik!
Sagen Sie zu dem . . . :

„Tut mir leid. Was mache ich denn jetzt? Ich habe . . . . . verloren."

Irgend jemand wird Ihnen schon helfen!

179

2. Auch das gibt's!

Sie haben alles richtig gemacht, haben einen Brief an das Hotel geschrieben, um ein Zimmer zu reservieren, haben Ihren Wagen vor der Reise überprüfen lassen – und im übrigen sind Sie noch nie krank gewesen.

a) „Nein", sagt der Portier im Hotel, „auf Ihren Namen ist nichts reserviert. Und die Hotels sind leider alle voll, wegen der Messe. Es hat gar keinen Zweck zu telefonieren. Wollen Sie vielleicht eine Privatpension? Das könnte ich versuchen."

b) Ihr Wagen ist der beste der Welt. Sie haben ihn schon zehn Jahre und sind 200 000 Kilometer damit gefahren.
Aber plötzlich bleibt das Ding stehen. Ein anderer Fahrer hält an und fragt: „Was brauchen Sie denn, eine Tankstelle, eine Werkstatt oder den Abschleppdienst?"

c) Sie sitzen auf dem Campingplatz in der Sonne, und plötzlich fühlen Sie sich nicht wohl. Fragt der Zeltnachbar: „Wohin wollen Sie denn, zum Arzt, zur Apotheke oder ins Krankenhaus?"

Und nun? Nur keine Panik!

Sagen Sie zu dem . . . : „Ja, bitte, wo ist denn . . . nächste . . . ?"
oder
„Ja, ich möchte . . . .
Können Sie mir den Weg zeigen?"
„Können Sie mir den Weg beschreiben?"

Die Polizei,
Dein Freund und Helfer!

Das wird man Sie fragen

1. Wann sind Sie angekommen?
   Wie lange sind Sie schon hier?
   Wie lange wollen Sie bleiben?

2. Wo (Wann) haben Sie Ihren Paß zum letztenmal gehabt?
   Wo (Wann) haben Sie Ihren Schlüssel zum letztenmal gebraucht?
   Wo (Wann) haben Sie Ihre Brieftasche zum letztenmal gesehen?

3. Wann haben Sie uns denn geschrieben?
   Von wo haben Sie uns denn geschrieben?
   Für wie lange wollen Sie reservieren?

4. Wann haben Sie zum letztenmal getankt?
   Wann war Ihr Wagen zum letztenmal in der Werkstatt?
   Wie lange fahren Sie den Wagen schon?

5. Waren Sie schon mal krank?
   Wann waren Sie zum letztenmal krank?
   Was haben Sie gehabt?
   Was tut Ihnen weh?

6. Wollen Sie nach Hause   schreiben?
                                telefonieren?
                                telegrafieren?

   Haben Sie etwas von zu Hause gehört?
   Ist zu Hause alles in Ordnung?

   Und das werden Sie sagen:

7. Ich muß jetzt gehen (fahren).
   Ich muß mich jetzt verabschieden.
   Ich habe jetzt leider keine Zeit
   mehr.
   Vielen Dank, es war sehr nett
   bei Ihnen.
   Danke für den schönen
   Abend.
   Ich komme gern wieder.

30 C   DIE HERZLICHSTEN GRÜSSE VOM BODENSEE

(Walzerlied)

Text: **Hannes WERRY**

Musik: **Gustl SCHWARZMEIER**

hoaß is, dann geht man in Bay-ern an Land, da gibt's a guats Bier und man

trinkt's mit Ver-stand. A Mass und a Ra-di, a Mu-si da-zua, die

Schuh-platt-ler tan-zen und i hab mei Ruah!

Die

D.S. al Fine

183

Die herzlichsten Grüße vom Bodensee!

Die herzlichsten Grüße vom Bodensee,
aus Deutschland, aus Öst'reich, der Schweiz,
denn jedes der Länder am Bodensee
hat seinen besonderen Reiz.

1. Wann's hoaß is, dann geht man in Bayern an Land,
   da gibt's a guats Bier und man trinkt's mit Verstand.
   A Mass und a Radi, a Musi dazua,
   die Schuhplattler tanzen und ich hab mei Ruah!

2. Das schwäbische Ufer isch darum beliebt,
   weil's Spätzle un au a guts Viertele gibt.
   Die schwäbische Mädle auf's Eigene schaun,
   drum schaffe die Schwobe, ums Häusle zu baun.

3. So mancher geht gerne in Öst'reich an Land,
   da hat man den Pfänder direkt bei der Hand,
   und ist man erst oben, dann muß man gestehn,
   wohin man auch schaut, es ist überall schön.

4. Auch am Schwyzer Ufer sich allerhand tut,
   die Berge sind hoch und der Käse ist gut
   und auf uns'ren Almen gibt es keine Sünd'
   die Leut sind zu müd', bis sie aufg'stiegen sind.

ein See
BODENSEE drei Länder
1000 Möglichkeiten

Säntis 2504 m

Vaduz
Feldkirch
Rankweil
Appenzell
Altstätten

SCHWEIZ

Herisau

Pfänder
1064 m

Rorschach
St. Gallen

Horn
Arbon

Frauenfeld

ÖSTERREICH

Bregenz

Amriswil

Lindau

Romanshorn

Wasserburg

Konstanz

Reichenau

DEUTSCHLAND

Meersburg

Mainau

Radol

Friedrichshafen

Birnau

Überlingen

Bodma

Salem

Ludwigsh

Deutschlands Länder (Einwohner in Millionen)

SCHLESWIG-HOLSTEIN 2,6 Kiel

MECKLENBURG-VORPOMMERN 1,9

Hamburg 1,6 Schwerin

7,2 0,7 Bremen

NIEDERSACHSEN 3,0 Magdeburg

BRANDEN-

Hannover

Berlin 3,4 Potsdam BURG

NORDRHEIN-WESTFALEN 17,1

SACHSEN-ANHALT 2,6

Düsseldorf 5,7

Erfurt SACHSEN Dresden

HESSEN 3,7 THÜRINGEN 2,7 4,9

Wiesbaden

EINLAND-PFALZ Mainz

Saarbrücken

AAR-ND 1,1

Stuttgart

BAYERN 11,2

BADEN-WÜRTTEM-BERG 9,6

München

Maße und Gewichte

ein Millimeter	1 mm	ein Gramm	1 g
zehn Millimeter	10 mm	hundert Gramm	100 g
ein Zentimeter	1 cm	ein Pfund (500 g)	1 Pfd.
zehn Zentimeter	10 cm	zehn Pfund	10 Pfd.
ein Meter	1 m	ein Kilo(gramm)	1 kg
zehn Meter	10 m	zehn Kilo(gramm)	10 kg
zehn Meter fünfzig	10,50 m	eine Tonne	1 t
ein Kilometer	1 km		
hundert Kilometer	100 km	ein Prozent	1%
		hundert Prozent	100%
hundert Kilometer pro Stunde	100 km/h	zwanzig Grad (Celsius)	20°C
ein Quadratmeter	1 m^2	ein Grad unter Null (= Kälte)	
hundert Quadratmeter	100 m^2	ein Grad minus	−1°C
ein Kubikmeter	1 m^3	vier Grad über Null (= Wärme)	
hundert Kubikmeter	100 m^3	vier Grad plus	+4°C
ein Liter	1 l		
Null Komma fünf Liter	0,5 l		

Grammatischer Anhang

Übersicht über die grammatische Progression

Lektion 1: Verben: Präsens *(haben, sein);* Nominativ: der bestimmte Artikel; *wie; wo? woher?; Sind Sie aus ...?*

Lektion 2: Fragesätze: *Ist das ...? Ja, .../Nein, ...; Kennen Sie ...? Wissen Sie, wo ... ist?;* Verneinung: *nicht;* Imperativ: *Sie;* Kardinalzahlen (0–100)

Lektion 3: Nominativ/Akkusativ: der bestimmte und der unbestimmte Artikel; Verben: Präsens Singular und Plural *(wir/Sie, ich, er/sie);* Wortstellung; Uhrzeiten

Lektion 4: Nominativ/Akkusativ: *ein, mein, Ihr, kein, einer – keiner,* Plural: *welche – keine;* Substantive: Pluralformen; Substantive: Deklination (Herrn)

Lektion 5: Nominativ/Akkusativ Singular und Plural: *welcher? dieser? was für einer? was für welche?;* Adjektiv nach unbestimmtem Artikel, Nominativ und Akkusativ, Singular und Plural

Lektion 6: Wortbildung: Komposita; Adjektiv nach unbestimmtem und bestimmtem Artikel, Nominativ und Akkusativ, Singular und Plural, prädikativ und attributiv; *es*

Lektion 7: Verben: Präsens (alle Personen); Modalverben, *wissen, haben, sein,* trennbare Verben; Wortstellung: Satzklammer

Lektion 8: Akkusativ und Dativ: *wohin? wo? woher?;* Präpositionen: *aus, in; zum/zur;* Verben: Präsens *(arbeiten – arbeitet, essen – ißt)*

Lektion 9: Präposition: *auf; legen – liegen, stellen – stehen, hängen;* Imperativ *(Sie, du, ihr);* Ländernamen; Nebensätze mit *weil*

Lektion 10: Zusammenfassung der Präpositionen mit Akkusativ und Dativ; Substantive: Dativ Plural; Modalverb *dürfen;* Ordinalzahlen, Kalender und Datum

Lektion 11: Possessivpronomen: Nominativ, Akkusativ, Dativ; Verben: Präteritum *(haben, sein);* Perfekt (regelmäßige und unregelmäßige Verben); *jeder, jedes, jede*

Lektion 12: Interrogativpronomen: Person und Sache, Nominativ/Akkusativ/Dativ; Personalpronomen: Nominativ/Akkusativ/Dativ; Modalverben: *sollen – müssen;* Verben: trennbare und untrennbare Vorsilben; Nebensätze mit *wenn* (temporal); *ja/nein/doch*

Lektion 13: Verben: Präteritum (regelmäßige und unregelmäßige Verben, Modalverben, *werden*); Genitiv (Substantive und Pronomen)

Lektion 14: Reflexivpronomen (Akkusativ) und Personalpronomen; Reflexive Verben; Präpositionen mit Genitiv *(während, innerhalb/ außerhalb)*

Lektion 15: Reflexivpronomen (Dativ); Nebensätze mit *daß,* Indirekte Fragesätze, Relativsätze; *einige – mehrere – alle;* maskuline Substantive mit *-(e)n:* Deklination

Lektion 16: Adjektiv: Komparativ; *derselbe, dasselbe, dieselbe;* Infinitivsätze mit *zu; manche – viele*

Lektion 17: Passiv: Präsens und Präteritum; das Verb *werden;* Adjektiv: Komparation; Deklination (Übersicht) einschließlich Adjektiv (Positiv, Komparativ und Superlativ) im Singular und Plural

Lektion 18: Adjektiv ohne Artikel; *irgend-*

Lektion 19: Passiv: Präsens, Präteritum, Perfekt, Modalverben; *es, wovon? – davon, von wem? – von ihm;* Nebensätze mit *ob;* Wortbildung: Vom Verb zum Substantiv

Lektion 20: Verben: Plusquamperfekt; Partizip I als Adjektiv; Präposition: *bei;* Infinitivsätze mit *um zu,* Nebensätze mit *so daß*

Lektion 21: Partizip II als Adjektiv; *geworden* und *worden,* Relativsätze: Präposition + Relativpronomen

Lektion 22: Verben mit fester Präposition / mit oder ohne Präposition / mit verschiedenen Präpositionen; Verben: Konjunktiv II *(hätte, wäre, würde),* Wünsche und Bedingungen

Lektion 23: Konditionalsätze mit *wenn* (Konjunktiv II); *(sich) lasen; lassen* oder *gelassen*

Lektion 24: Modalverben: Konjunktiv II *(müßte, könnte . . .);* Konjunktionaladverbien *(also, deshalb, trotzdem, sonst);* Konjunktionen *(aber, denn, oder, sondern, und);* Verben mit dem Dativ

Lektion 25: Vergleichssätze mit *als;* Nebensätze (Wiederholung); *solch – so ein;* Verben mit fester Präposition (Fortsetzung)

Lektion 26: Verben: Futur I; Wortstellung: Nebensatz + Hauptsatz; Nebensätze mit *damit;* Verben: Konjunktiv II (indirekte Rede)

Lektion 27: Verben: Konjunktiv I und II und *würde* + Infinitiv (indirekte Rede); Konditionalsätze, *als ob* und Wunschsätze; *etwas/nichts* + Adjektiv

Lektion 28: Verben mit fester Präposition (Fortsetzung)

Lektion 29: Partikel *(denn, ja, doch, mal, schon, nicht)*

Systematische Übersicht über die Grammatik

DAS VERB

I. Konjugation der regelmäßigen und unregelmäßigen Verben

(*machen, arbeiten* = regelmäßig; *kommen, essen, haben, sein* = unregelmäßig)

Indikativ

Sie/sie/wir	*ich*	*er/sie*	*du*	*ihr*
Präsens (L. 1a, 3c, 7a, 8b)				
machen[1]	mache	macht	machst	macht
arbeiten[1]	arbeite	arbeitet	arbeitest	arbeitet
kommen	komme	kommt	kommst	kommt
haben	habe	hat	hast	habt
sind[2]	bin	ist	bist	seid
Präteritum (L. 11a, 13a/b)				
machten[3]	machte	machte	machtest	machtet
kamen[4]	kam	kam	kamst	kamt
hatten	hatte	hatte	hattest	hattet
waren	war	war	warst	wart
Perfekt[5] (L. 11b, 13b)				
haben	habe	hat	hast	habt
gemacht	gemacht	gemacht	gemacht	gemacht
haben	habe	hat	hast	habt
gegessen	gegessen	gegessen	gegessen	gegessen
sind	bin	ist	bist	seid
gekommen	gekommen	gekommen	gekommen	gekommen
Plusquamperfekt[6] (L. 20a)				
hatten	hatte	hatte	hattest	hattet
gemacht	gemacht	gemacht	gemacht	gemacht
hatten	hatte	hatte	hattest	hattet
gegessen	gegessen	gegessen	gegessen	gegessen
waren	war	war	warst	wart
gekommen	gekommen	gekommen	gekommen	gekommen

1 Verben mit dem Stamm auf *-t-* oder *-d-* (*senden – sendet*) haben *-e-* vor den Endungen *-st, -te, -t.*
2 Der Infinitiv lautet *sein.*
3 Bei den regelmäßigen Verben werden die Endungen mit *-(e)t-* gebildet (*machte, arbeitete*).
4 Bei den unregelmäßigen Verben ändert sich der Stammvokal und oft auch die folgenden Konsonanten (*gehen – ging*).
5 Bildung des Perfekts (L. 11b): Personalformen von *haben/sein* + Partizip Perfekt.
6 Bildung des Plusquamperfekts: Personalformen (Präteritum) von *haben/sein* + Partizip Perfekt.

Sie/sie/wir	ich	er/sie	du	ihr
Futur I[7] (L. 26a)				
werden machen	werde machen	wird machen	wirst machen	werdet machen
werden kommen	werde kommen	wird kommen	wirst kommen	werdet kommen

Konjunktiv[8]

Konjunktiv I[9] (L. 27a)

Sie/sie/wir	ich	er/sie	du	ihr
machen (→ **machten**)	mach**e** (→ **machte**)	mach**e**	mach**est**	mach**et**
kommen (→ **kämen**)	komm**e** (→ **käme**)	komm**e**	komm**est**	komm**et**
sei**en**	sei	sei	sei(e)st	sei(e)t

Konjunktiv II[10] (L. 22b, 23a, 24a, 27a)

Sie/sie/wir	ich	er/sie	du	ihr
mach**ten** (→ **würden** **machen**)	mach**te** (→ **würde** ~)	mach**te** (→ **würde** ~)	mach**test** (→ **würdest** ~)	mach**tet** (→ **würdet** ~)
käm**en**	käm**e**	käm**e**	käm(e)st	käm(e)t

Partizipien[11]

			er/sie	du	ihr
Partizip Präsens (I) (L. 20b)				mach**end**	komm**end**
Partizip Perfekt (II) (L. 11b)				**ge**macht	**ge**kommen

7 Bildung des Futurs I: Personalformen von *werden* + Infinitiv.

8 In der Tabelle stehen die Gegenwartsformen des Konjunktivs. Vergangenheitsformen (L. 27a): Konjunktivform + Partizip II (*ich sei/wäre gekommen*).

9 Die Formen werden von der 1. Person Plural Präsens Indikativ abgeleitet: *wir machen → ich/er/sie mache* usw. Kennzeichen des Konjunktivs ist -*e*-.
Formen, die mit dem Indikativ identisch sind, werden durch Konjunktiv II-Formen ersetzt.

10 Die Formen werden von der 1. Person Plural Präteritum Indikativ abgeleitet: *wir machten / wir kamen: → ich/er/sie machte, ich/er/sie käme.* Kennzeichen des Konjunktivs ist -*e*-. Die Formen der regelmäßigen Verben sind identisch mit dem Indikativ und werden durch *würde* + Infinitiv ersetzt (*Sie/sie/wir würden machen*).
Gebrauch des Konjunktivs I: indirekte Rede (L. 27a)
Gebrauch des Konjunktivs II: Wünsche (L. 22b, 27a), irreale Bedingungen (L. 22b, 23a, 27a), höfliche Fragen (L. 24a), indirekte Rede (L. 26c, 27a), als ob (L. 27a).

11 Bildung des Partizips Präsens (I): Infinitiv + *d*.
Bildung des Partizips Perfekt:
Regelmäßige Verben: *ge-....(e)t* (*gemacht, gearbeitet*)
Unregelmäßige Verben: *ge-...en* (*gekommen*)
Trennbare Verben: *...ge...en* (*angerufen*)
Untrennbare Verben und Verben auf -*ieren*: *....-t/-en* (*erzählt, telefoniert*)
Vor einem Substantiv werden Partizipien wie Adjektive dekliniert (L. 20b, 21a).

II. Liste der unregelmäßigen Verben

Infinitiv	Präsens[1]	Präteritum	Perfekt
A			
ab/fahren[2]	fährt ab	fuhr ab	ist abgefahren
ab/geben	gibt ab	gab ab	hat abgegeben
ab/hängen von +D	hängt ab	hing ab	hat abgehangen
ab/nehmen	nimmt ab	nahm ab	hat abgenommen
ab/schließen		schloß ab	hat abgeschlossen
an/bieten		bot an	hat angeboten
an/fangen	fängt an	fing an	hat angefangen
an/geben	gibt an	gab an	hat angegeben
an/halten	hält an	hielt an	hat angehalten
an/kommen (auf + A)		kam an	ist angekommen
an/nehmen	nimmt an	nahm an	hat angenommen
an/rufen		rief an	hat angerufen
(sich etwas) an/sehen	sieht an (ich sehe mir an)[3]	sah an	hat angesehen
auf/geben	gibt auf	gab auf	hat aufgegeben
auf/nehmen	nimmt auf	nahm auf	hat aufgenommen
auf/schreiben		schrieb auf	hat aufgeschrieben
auf/stehen		stand auf	ist aufgestanden
aus/gehen		ging aus	ist ausgegangen
aus/schließen (von + D)		schloß aus	hat ausgeschlossen
aus/sehen	sieht aus	sah aus	hat ausgesehen
B			
beginnen		begann	hat begonnen
behalten	behält	behielt	hat behalten
bekommen		bekam	hat bekommen

1 Einige **unregelmäßige Verben** verändern den Vokal in der 2. und 3. Person Singular: *e – (i)e, a – ä, o – ö, au – äu* (L. 8b).

2 **Trennbare Verben** (L. 7b, 12d): Die trennbare Vorsilbe wird gekennzeichnet durch /. Trennbare Vorsilben sind: *ab, an, auf, aus, bei, ein, her, hin, los, mit, nach, vor, weg, zu, zurück, zusammen.*
Untrennbare Vorsilben sind: *be-, ent-, er-, ge-, ver-, zer-.*
Klammerstellung (L. 7b): Ich *nehme/nahm* die Kamera *mit.* Aber: Ich *habe/hatte* die Kamera *mitgenommen.*

3 **Reflexive Verben** (L. 14a, 15a): a) Das Reflexivpronomen lautet in der 3. Person Singular und Plural *sich;* alle anderen Reflexivpronomen stimmen mit dem Personalpronomen überein (*mir/mich, dir/dich, uns, euch*). b) Man unterscheidet reflexive Verben mit dem Reflexivpronomen im Dativ (*ich sehe mir an*) und mit dem Reflexivpronomen im Akkusativ (*ich bewerbe mich*). c) Alle reflexiven Verben bilden das Perfekt/Plusquamperfekt mit *haben* (*ich habe mir angesehen*).

Infinitiv	Präsens	Präteritum	Perfekt
benennen		benannte	hat benannt
beraten	berät	beriet	hat beraten
bergsteigen	(nur der Infinitiv gebräuchlich)		
beschließen		beschloß	hat beschlossen
beschreiben		beschrieb	hat beschrieben
besitzen		besaß	hat besessen
betragen	beträgt	betrug	hat betragen
betreffen	betrifft	betraf	hat betroffen
beweisen		bewies	hat bewiesen
sich bewerben	bewirbt sich	bewarb sich	hat sich beworben
(um + A)	(ich bewerbe mich)		
bitten um + A		bat	hat gebeten
bleiben		blieb	ist geblieben
bleiben/lassen	läßt bleiben	ließ bleiben	hat bleibenlassen
brechen	bricht	brach	hat gebrochen
sich etwas bre- chen	bricht sich (ich breche mir)	brach sich	hat sich gebrochen
bringen		brachte	hat gebracht

D

Infinitiv	Präsens	Präteritum	Perfekt
da/sein	ist da	war da	ist dagewesen
davon/laufen	läuft davon	lief davon	ist davongelaufen
denken an + A/über + A[4]		dachte	hat gedacht
dürfen	darf	durfte	hat gedurft
durch/fallen	fällt durch	fiel durch	ist durchgefallen
durch/lesen	liest durch	las durch	hat durchgelesen

E

Infinitiv	Präsens	Präteritum	Perfekt
ein/brechen	bricht ein	brach ein	hat eingebrochen
ein/fallen	fällt ein	fiel ein	ist eingefallen
ein/laden	lädt ein	lud ein	hat eingeladen
enthalten	enthält	enthielt	hat enthalten
sich entscheiden (für + A)	(ich entscheide mich)	entschied sich	hat sich entschieden
erfinden		erfand	hat erfunden
ergreifen		ergriff	hat ergriffen
erhalten	erhält	erhielt	hat erhalten
erkennen		erkannte	hat erkannt
erscheinen		erschien	ist erschienen
essen	ißt	aß	hat gegessen

4 Viele Verben sind fest mit einer Präposition verbunden, manchmal auch mit zwei oder drei Präpositionen (L. 22, 25d, 28). Dabei gilt: Nach *für, über, um* steht der Akkusativ. Nach *mit, nach, von, vor, zu* steht der Dativ. Nach *an, auf* und *in* kann der Akkusativ oder der Dativ stehen.

Infinitiv	Präsens	Präteritum	Perfekt

F

fahren	fährt	fuhr	ist gefahren
fern/sehen	sieht fern	sah fern	hat ferngesehen
fest/nehmen	nimmt fest	nahm fest	hat festgenommen
finden		fand	hat gefunden
fliegen		flog	ist geflogen
fließen		floß	ist geflossen

G

geben	gibt	gab	hat gegeben
gefallen	gefällt	gefiel	hat gefallen
gehen		ging	ist gegangen
gelten für + A	gilt	galt	hat gegolten
gewinnen		gewann	hat gewonnen

H

haben	hat	hatte	hat gehabt
hängen		hing	hat gehangen
halten für + A/ von + D	hält	hielt	hat gehalten
heißen		hieß	hat geheißen
helfen	hilft	half	hat geholfen
heraus/finden		fand heraus	hat herausgefunden
heraus/nehmen	nimmt heraus	nahm heraus	hat herausgenommen
her/geben	gibt her	gab her	hat hergegeben
her/kommen		kam her	ist hergekommen
hin/gehen		ging hin	ist hingegangen

K

(sich) kennen	(ich kenne mich)	kannte	hat gekannt
klingen		klang	hat geklungen
können[5]	kann	konnte	hat gekonnt
kommen		kam	ist gekommen

L

lassen[6]	läßt	ließ	hat gelassen

5 **Modalverben** (L. 7a, 10c, 12c, 13a, 24a): *können, mögen (möchten), müssen, sollen, wollen.* a) Die 1. und die 3. Person Singular sind gleich (*ich/er/sie kann*). b) *wissen* wird wie ein Modalverb konjugiert (*Sie/sie/wir wissen, ich/er/sie weiß, du weißt, ihr wißt*).
Klammerstellung (L. 7b): Er *will/wollte* nach Rom *fliegen.*
Ausdruck der Vermutung (L. 19b): *Das muß echt sein. – Das muß echt gewesen sein.*
6 **lassen** (L. 23b): *lassen* + Infinitiv (*Ich lasse mir die Haare schneiden. – Ich habe mir die Haare schneiden lassen.*)

Infinitiv	Präsens	Präteritum	Perfekt
laufen	läuft	lief	ist gelaufen
leihen		lieh	hat geliehen
lesen	liest	las	hat gelesen
liegen		lag	hat gelegen
los/fahren	fährt los	fuhr los	ist losgefahren
lügen		log	hat gelogen

M

mit/bringen		brachte mit	hat mitgebracht
mit/kommen		kam mit	ist mitgekommen
mit/nehmen	nimmt mit	nahm mit	hat mitgenommen
mögen	mag	mochte	hat gemocht
müssen	muß	mußte	hat gemußt

N

nach/denken über +A		dachte nach	hat nachgedacht
nach/sehen	sieht nach	sah nach	hat nachgesehen
nehmen	nimmt	nahm	hat genommen
nennen		nannte	hat genannt
sich nieder/ lassen	läßt sich nieder (ich lasse mich nieder)	ließ sich nieder	hat sich nieder- gelassen

P

pfeifen		pfiff	hat gepfiffen
rad/fahren	fährt Rad	fuhr Rad	ist radgefahren
raten	rät	riet	hat geraten
rufen		rief	hat gerufen

S

scheinen		schien	hat geschienen
schieben		schob	hat geschoben
schlafen	schläft	schlief	hat geschlafen
schlagen	schlägt	schlug	hat geschlagen
schließen		schloß	hat geschlossen

sich (die Haare) schneiden lassen, siehe lassen (ich lasse mir... schneiden)

schreiben		schrieb	hat geschrieben
schweigen		schwieg	hat geschwiegen
schwimmen		schwamm	ist geschwommen
sehen	sieht	sah	hat gesehen
sein	ist	war	ist gewesen
senden		sandte	hat gesandt
singen		sang	hat gesungen

Infinitiv	Präsens	Präteritum	Perfekt
sitzen		saß	hat gesessen
Ski fahren	fährt Ski	fuhr Ski	ist Ski gefahren
sprechen	spricht	sprach	hat gesprochen
statt/finden		fand statt	hat stattgefunden
stechen	sticht	stach	hat gestochen
stehen		stand	hat gestanden
stehlen	stiehlt	stahl	hat gestohlen
steigen		stieg	ist gestiegen
sterben	stirbt	starb	ist gestorben
still/stehen		stand still	hat stillgestanden
sich streiten	(ich streite mich)	stritt sich	hat sich gestritten

T

Infinitiv	Präsens	Präteritum	Perfekt
teil/nehmen an + D	nimmt teil	nahm teil	hat teilgenommen
tragen	trägt	trug	hat getragen
sich treffen (mit + D)	trifft sich (ich treffe mich)	traf sich	hat sich getroffen
treiben		trieb	hat getrieben
trinken		trank	hat getrunken
tun		tat	hat getan

U

Infinitiv	Präsens	Präteritum	Perfekt
überweisen		überwies	hat überwiesen
um/gehen mit + D		ging um	ist umgegangen
um/ziehen		zog um	ist umgezogen
sich unterhalten (über + A)	unterhält sich (ich unterhalte mich)	unterhielt sich	hat sich unterhalten

V

Infinitiv	Präsens	Präteritum	Perfekt
verbinden (mit + D)		verband	hat verbunden
verbrennen		verbrannte	hat verbrannt
verderben	verdirbt	verdarb	hat verdorben
vergehen		verging	ist vergangen
vergessen	vergißt	vergaß	hat vergessen
vergleichen		verglich	hat verglichen
verlassen	verläßt	verließ	hat verlassen
verlieren		verlor	hat verloren
verschwinden		verschwand	ist verschwunden
versprechen	verspricht	versprach	hat versprochen
verstehen		verstand	hat verstanden
vor/liegen		lag vor	hat vorgelegen

sich vor/nehmen	nimmt sich vor (ich nehme mir vor)	nahm sich vor	hat sich vorgenommen
vor/schlagen	schlägt vor	schlug vor	hat vorgeschlagen
vor/werfen	wirft vor	warf vor	hat vorgeworfen

W

wachsen	wächst	wuchs	ist gewachsen
weg/fahren	fährt weg	fuhr weg	ist weggefahren
weiter/fahren	fährt weiter	fuhr weiter	ist weitergefahren
werden	wird	wurde	ist geworden
werfen	wirft	warf	hat geworfen
sich wieder/ sehen		sahen sich wieder	haben sich wiedergesehen
wieder/kommen		kam wieder	ist wiedergekommen
wissen	weiß	wußte	hat gewußt

Z

zerfressen	zerfrißt	zerfraß	hat zerfressen
zerreißen		zerriß	hat zerrissen
zerschneiden		zerschnitt	hat zerschnitten
ziehen		zog	ist gezogen
zu/geben	gibt zu	gab zu	hat zugegeben
zurück/kommen		kam zurück	ist zurückgekommen
zurück/nehmen	nimmt zurück	nahm zurück	hat zurückgenommen
zusammen/ tragen	trägt zusammen	trug zusammen	hat zusammengetragen
zu/treffen (für + A)	trifft zu	traf zu	hat zugetroffen

III. Imperativ (L. 2c, 9c)

Sie-Form	du-Form	ihr-Form
Holen Sie!	Hol!	Holt!
Kommen Sie!	Komm!	Kommt!
Antworten Sie!	Antworte!	Antwortet!
Nehmen Sie!	Nimm!	Nehmt!
Lesen Sie!	Lies!	Lest!
Ausnahme:		
Seien Sie!	Sei!	Seid!

IV. Passiv (L. 17a, 19a/b, 21b)

	Präsens	Präteritum	Perfekt
Singular wird *(3. Pers.)*	geprüft bearbeitet	wurde geprüft bearbeitet	ist geprüft worden bearbeitet worden
Plural werden *(3. Pers.)*	geprüft bearbeitet	wurden geprüft bearbeitet	sind geprüft worden bearbeitet worden

Bildung des Passivs: *werden* + Partizip Perfekt. Beim Partizip Perfekt steht *worden,* nicht *geworden.*

Passiv + Modalverb: *Das muß geprüft werden. werden* steht als Infinitiv am Ende des Satzes.

Bildung des Zustandspassivs: *sein* + Partizip Perfekt (L. 21a)

DAS SUBSTANTIV

I. Deklination mit bestimmtem Artikel, unbestimmtem Artikel und Possessivpronomen (L. 1b, 3a/b, 4c, 10b, 13c)
(best. = bestimmter Artikel, unbest. = unbestimmter Artikel, Poss. = Possessivpronomen)

Singular		Maskulinum	Neutrum	Femininum
Nom.	best.	der Wagen	das Buch	die Uhr
	unbest.	ein Wagen (einer/keiner)[1]	ein Buch (eins/keins)[1]	eine Uhr
	Poss.	mein Wagen	mein Buch	meine Uhr
Akk.	best.	den Wagen	das Buch	die Uhr
	unbest.	einen Wagen	ein Buch (eins/keins)	eine Uhr
	Poss.	meinen Wagen	mein Buch	meine Uhr
Dat.	best.	dem Wagen	dem Buch	der Uhr
	unbest.	einem Wagen	einem Buch	einer Uhr
	Poss.	meinem Wagen	meinem Buch	meiner Uhr
Gen.	best.	des Wagens[2]	des Buches[2]	der Uhr
	unbest.	eines Wagens[2]	eines Buches[2]	einer Uhr
	Poss.	meines Wagens[2]	meines Buches[2]	meiner Uhr

1 Steht *ein-, kein-* oder ein Possessivpronomen ohne Substantiv, erhält es im Nom. Mask. die Endung *-er,* im Nom. und Akk. Neutrum die Endung *-s* (L. 4a, 13d).
2 Das Substantiv hat Endungen im Genitiv Singular (*-s* oder *-es*) und im Dativ Plural (*-n* oder *-en*).

198

Plural

Nom.	best.	die	Wagen, Bücher, Uhren
	unbest.		Wagen, Bücher, Uhren
	Poss.	meine	Wagen, Bücher, Uhren
Akk.	best.	die	Wagen, Bücher, Uhren
	unbest.		Wagen, Bücher, Uhren
	Poss.	meine	Wagen, Bücher, Uhren
Dat.[2]	best.	den	Wagen, Büchern, Uhren
	unbest.		Wagen, Büchern, Uhren
	Poss.	meinen	Wagen, Büchern, Uhren
Gen.	best.	der	Wagen, Bücher, Uhren
	unbest.		–
	Poss.	meiner	Wagen, Bücher, Uhren

Einige maskuline Substantive haben – außer im Nominativ Singular – in allen übrigen Kasus die Endung -(e)n: z.B. Singular *der Mensch, den/dem/ des Menschen,* Plural *die/den/der Menschen* (L. 15d)

II. Pluralbildung (L. 4b)

(1) -er	(¨er)	die Bild**er**, die H**äus**er
(2) -e	(¨e)	die Brief**e**, die St**ädte**
(3) -	(¨)	die Wagen, die Flugh**äfen**
(4) -s		die Hotel**s**
(5) -(e)n		die Namen, die Uhr**en**

DAS ADJEKTIV

I. Deklination mit bestimmtem und unbestimmtem Artikel (L. 5c, 6b, 17c)
(best.- = bestimmter Artikel, unbest. = unbestimmter Artikel)

Singular		Maskulinum	Neutrum
Nom.	best.	der kleine Junge[1]	das kleine Auto
	unbest.	ein kleiner Junge[2]	ein kleines Auto
Akk.	best.	den kleinen Jungen	das kleine Auto
	unbest.	einen kleinen Jungen	ein kleines Auto
Dat.	best.	dem kleinen Jungen	dem kleinen Auto
	unbest.	einem kleinen Jungen	einem kleinen Auto
Gen.	best.	des kleinen Jungen	des kleinen Autos
	unbest.	eines kleinen Jungen	eines kleinen Autos

1 Ebenso: *dieser/welcher kleine Junge* usw.
2 Ebenso: alle Possessivpronomen: *mein kleiner Wagen* usw.

Singular		Femininum	Plural (m, n, f)	
Nom.	best.	die kleine Frau	die	kleinen Jungen, Frauen usw.
	unbest.	eine kleine Frau		kleine Jungen
Akk.	best.	die kleine Frau	die	kleinen Jungen
	unbest.	eine kleine Frau		kleine Jungen
Dat.	best.	der kleinen Frau	der	kleinen Jungen
	unbest.	einer kleinen Frau		kleinen Jungen
Gen.	best.	der kleinen Frau	der	kleinen Jungen
	unbest.	einer kleinen Frau		kleinen Jungen

II. Deklination ohne Artikel (L. 18a)

Singular	Maskulinum	Neutrum	Femininum
Nom.	italienischer Wein	deutsches Bier	französische Küche
Akk.	ohne schriftlichen Lebenslauf	ohne großes Interesse	ohne größere Pause
Dat.	mit tabellarischem Lebenslauf	mit großem Interesse	in englischer Sprache
Gen.	ein Freund guten Weins	ein Freund guten Biers	ein Freund französischer Küche

Plural (m, n, f)	
Nom.	berufstätige Menschen
Akk.	berufstätige Menschen
Dat.	in großen Wohnsiedlungen
Gen.	–

III. Komparation (L. 16a, 17b)

	Komparativ[1]	Superlativ[2]		
schnell	schneller	(der, das, die)	schnellste	am schnellsten
lang	länger		längste	am längsten
groß	größer		größte	am größten
alt	älter		älteste	am ältesten
jung	jünger		jüngste	am jüngsten

hoch	höher		höchste	am höchsten
gut	besser		beste	am besten
gern	lieber		liebste	am liebsten
viel	mehr		meiste	am meisten
viele	mehr	die	meisten	am meisten

1 Der Komparativ hat die Endung *-er*, oft auch Umlaut. Die zweite Hälte der Tabelle enthält unregelmäßige Formen. Die Komparativformen werden dekliniert.
2 Der Superlativ hat die Endung *-st-*, oft auch Umlaut. Die Superlativformen mit dem bestimmten Artikel werden dekliniert, die Formen mit *am .... sten* sind Adverbien und werden nicht dekliniert.

Vergleichssätze: Bei Ungleichheit steht *als (Er ist größer als sein Bruder)*, bei Gleichheit *wie (Er ist so groß wie sein Vater)*. (L. 16a, 25a)

PRONOMEN

I. Possessivpronomen (L. 11c)

Nom. Singular	mein, dein, sein/ihr	*Plural*	unser, euer, ihr

Deklinationsformen siehe Adjektiv-Tabelle.

II. Interrogativpronomen (L. 5a/b/c, 6b, 12a)

	Personen	Sachen
Nom.	Wer?	Was?
Akk.	Wen?	Was?
Dat.	Wem?	–
Gen.	Wessen?	–

Sing.	Mask.	Neutrum	Fem.	*Plural*
Nom.	was für ein? (was für einer?)[1] welcher?	was für ein? (was für eins?)[1] welches?	was für eine? welche?	was für welche? welche?
Akk.	was für einen? welchen?	was für ein? (was für eins?)[1] welches?	was für eine? welche?	was für welche? welche?
Dat.	was für einem? welchem?	was für einem? welchem?	was für einer? welcher?	was für welchen? welchen?

1 Formen ohne nachfolgendes Substantiv: *(Film) Was für einer ist das?*

was für ein? fragt nach den Eigenschaften von Personen oder Sachen: *Was für ein Film ist das? Ein Farbfilm.* Aber: *Welchen Film nimmst du? Diesen hier.*
was für ein? wird wie *ein* dekliniert, *welcher* wie *der.*

Wovon lebt er?	Von seiner Erbschaft.
Lebt er von seiner Erbschaft?	Ja, er lebt **davon**.
Mit wem haben Sie gesprochen?	Mit dem Kommissar.
Haben Sie mit dem Kommissar gesprochen?	Ja, ich habe **mit ihm** gesprochen.

Bei Fragen nach einem Präpositionalobjekt unterscheidet man zwischen Personen und Sachen. Bei Sachen steht in der Frage *wo(r)-* + Präposition (*r* steht, wenn die Präposition mit einem Vokal anfängt) bzw. in der Antwort *da(r)-* + Präposition; bei Personen steht die Präposition + Fragepronomen bzw. Präposition + Personalpronomen (L. 19d, 21b).

III. Personalpronomen (L. 6c, 12b, 19c)

	Singular			Plural		
	1. Person	2. Person	3. Person	1. Person	2. Person	3. Person
Nom.	ich	du	er/sie	wir	ihr	sie/Sie
Akk.	mich	dich	ihn/sie	uns	euch	sie/Sie
Dat.	mir	dir	ihm/ihr	uns	euch	ihnen/ Ihnen

IV. Demonstrativpronomen (L. 5a, 13c, 16a)

	Singular			Plural (m, n, f)
	Mask.	Neutrum	Fem.	
Nom.	dieser	dieses	diese	diese
	derselbe	dasselbe	dieselbe	dieselben
Akk.	diesen	dieses	diese	diese
	denselben	dasselbe	dieselbe	dieselben
Dat.	diesem	diesem	dieser	diesen
	demselben	demselben	derselben	denselben
Gen.	dieses	dieses	dieser	dieser
	desselben	desselben	derselben	derselben

V. Unbestimmte Pronomen (L. 15c)

Plural	
Nom.	einige
Akk.	einige
Dat.	einigen

Ebenso: *alle, manche, mehrere, viele.*
jeder, jedes, jede (L. 11d) wird wie *dieser, dieses, diese* dekliniert.
jemand/niemand (L. 9a) können ohne Deklinationsendungen gebraucht werden.

PRÄPOSITIONEN

I. Präpositionen mit dem Akkusativ: *durch, für, ohne.* (L. 10a)

II. Präpositionen mit dem Dativ: *aus, bei, mit, nach, von, zu.* (L. 8a, 9d, 10a, 20c)

III. Präpositionen mit dem Akkusativ oder Dativ: *an, auf, hinter, in, neben, über, unter, vor, zwischen.* (L. 8a, 9a/d, 10a)
Auf die Frage *Wohin?* = Akkusativ.
Auf die Frage *Wo?* = Dativ.

IV. Präpositionen mit dem Genitiv: *während, innerhalb, außerhalb.* (L. 14b)

DER SATZ

I. Konjunktionen, die einen Hauptsatz einleiten: *aber, denn, oder, sondern, und.* (L. 24c)

> Beispiel: *Die Texte sind schlecht, aber die Musik gefällt mir.*
> Subjekt + Verb

Achtung: Die Folge Subjekt + Verb bleibt erhalten.

II. Konjunktionaladverbien, die einen Hauptsatz einleiten: *also, deshalb, trotzdem, sonst.* (L. 24b)

> Beispiel: *Hört auf zu streiten, sonst gehe ich nach Hause.*
> Verb + Subjekt

Achtung: Es erfolgt Umstellung. Das Verb steht an zweiter Stelle.

III. Konjunktionen, die einen Nebensatz einleiten: *als, damit, daß, ob, so daß, nachdem, weil, wenn.* (L. 9f, 12a, 15b, 20d, 25a, 26b)

> Beispiel: *Sie wissen, daß die Lehrzeit drei Jahre beträgt.*
> Verb

Achtung: Das Verb steht am Ende des Nebensatzes.

IV. Infinitivsätze (L. 16b, 20d)

> Beispiel:
> *Er* hatte den Einbruch vorgetäuscht. *Er* wollte das Geld kassieren.
> Er hatte den Einbruch vorgetäuscht, *um das Geld zu kassieren.*

Das Subjekt im Hauptsatz und im Nebensatz muß gleich sein.

V. Relativsätze (L. 15b)

a) Relativpronomen

	Singular			Plural (m, n, f)
	Mask.	Neutrum	Fem.	
Nom.	..., der	..., das	..., die	..., die
Akk.	..., den	..., das	..., die	..., die
Dat.	..., dem	..., dem	..., der	..., **denen**
Gen.	..., **dessen**	..., **dessen**	..., **deren**	..., **deren**

b) Präposition + Relativpronomen (L. 21c)

> Beispiel: Das ist ein Computer, *an dem* ständig gearbeitet wird.

Die Präposition bestimmt den Kasus des Relativpronomens.

VI. Fragesätze – Indirekte Fragesätze (L. 15b, 19e)

> Beispiel:
> *Wann* kaufst du ein?   Er möchte wissen, *wann ich einkaufe.*
> Sind Sie um 5 zu Hause?   Er möchte wissen, *ob ich um 5 zu Hause bin.*

Indirekte Fragesätze sind Nebensätze. Das Verb steht am Ende.
Das Interrogativpronomen wird zur Konjunktion. Fehlt das Interrogativpronomen, steht *ob.*

WORTSTELLUNG

I. Die Umstellung des Subjekts (L. 3d)

	Er	fliegt		um zehn nach Köln
Wann		fliegt	**er?**	
Um zehn		(fliegt	**er).**	
Wann er fliegt,		weiß	**er**	noch nicht.

Das konjugierte Verb steht immer an zweiter Stelle im Satz.
Umstellung: Irgendein Satzglied   + Verb + Subjekt.
          Nebensatz   + Verb + Subjekt.

II. Die Klammerstellung des Verbs (L. 7b, 19b)

a)	**Er**	**ist**		um zehn nach Köln	**geflogen.**
	Wann	**ist**	**er**	nach Köln	**geflogen?**
b)	**Er**	**will**		nach Köln	**fliegen.**
	Wann	**will**	**er**	nach Köln	**fliegen?**
c)	Er	**nimmt**		seine Kamera	**mit.**
	Er	**hat**		seine Kamera	**mitgenommen.**
	Er	**will**		seine Kamera	**mitnehmen.**
d)	Der Fall	**wird**		sofort	**bearbeitet.**
	Der Fall	**kann**		sofort	**bearbeitet werden.**

Das konjugierte Verb – hier das Hilfsverb bzw. das Modalverb – steht an zweiter Stelle im Satz:
a) bei zusammengesetzten Zeiten: Das Partizip Perfekt des Vollverbs rückt ans Ende des Satzes.
b) bei Modalverben: Der Infinitiv des Vollverbs rückt ans Ende des Satzes.
c) bei trennbaren Verben: Die Vorsilbe rückt ans Ende des Satzes. Bei zusammengesetzten Zeiten oder bei Gebrauch eines Modalverbs stehen Vorsilbe und Verb wieder zusammen.
d) beim Passiv mit Modalverb: Der Infinitiv von „werden" rückt ans Ende des Satzes.

III. Stellung der Pronomen

Objekte

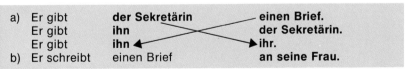

a)	Er gibt	**der Sekretärin**	**einen Brief.**
	Er gibt	**ihn**	**der Sekretärin.**
	Er gibt	**ihn**	**ihr.**
b)	Er schreibt	einen Brief	**an seine Frau.**

a) Merke: Dativobjekt + Akkusativobjekt. Aber:
      Akkusativpronomen + Dativpronomen.

205

b) Präpositionalobjekte stehen im allgemeinen hinter den übrigen Objekten.

Reflexivpronomen

a)	Ich	**interessiere**		**mich**	für die Arbeit.
	Dann	**interessiert**	er	**sich**	auch für die Arbeit.
b)	Ich	weiß, **daß**		**sich**	viele bewerben
	Ich	weiß, **daß**	er	**sich**	bewirbt.

a) Es folgen aufeinander: das konjugierte Verb + Reflexivpronomen
   oder: das konjugierte Verb + Personalpronomen + Reflexivpronomen.
b) Im Nebensatz stehen: Konjunktion + Reflexivpronomen
   oder: Konjunktion + Personalpronomen + Reflexivpronomen.

IV. Die Stellung nach Konjunktionen, die einen Hauptsatz oder einen Nebensatz einleiten siehe „DER SATZ", S. 203/204.

Bildnachweis und Textquellen

ZEICHNUNGEN

Herbert Horn, München S. 7, 8, 13, 14, 15, 17, 18, 19 (Karte), 20, 21, 23, 27, 31, 32, 33, 38, 39, 42 Mitte, 43, 45 unten, 49, 50, 51, 56, 57, 63, 65, 66, 67, 68, 70, 74, 75, 80, 87, 89, 91, 96, 98, 99, 103, 107, 108, 110, 111, 113, 114, 115, 119, 120, 126, 127, 129, 131, 133, 138, 141 oben, 143, 144, 147, 154, 155, 156, 158 oben, 165, 171, 173, 179, 181 und Umschlaggestaltung; **Karlheinz Groß, Bietigheim** S. 5, 6, 7 (Karte), 11, 12, 13 (Karte), 24, 29, 30, 35, 36, 41, 42 oben, 47, 48, 53, 54, 71, 72; **Werner Eckhardt, München** Umschlaginnenseiten und S. 184 (Karte); **Hans Trawiel, Bremen** S. 122, 123; **Erco Leuchten GmbH, Lüdenscheid** S. 59, 62 (Piktogramme); **Globus-Kartendienst, Hamburg** S. 176 (Tabelle); **Erika Zinn, München** S. 27 (Tabelle).

KARIKATUREN

Gerhard Glück, Kassel S. 44; **Walter Hanel, Gladbach** S. 45 Mitte; **Erik Liebermann, Starnberg** S. 95; **Horst Haitzinger, München** S. 102; **Ernst Hürlimann, München** S. 117; **Kurt Halbritter, Unterach** S. 132; **Manfred von Papen, München** S. 140 (aus Papan's Panoptikum, Verlag Gruner + Jahr, Hamburg 1979); **Dieter Harzig, Hannover** S. 141; **Heinz Langer, München** S. 145 (aus H. Langer, Cartoons, Wilhelm Heyne Verlag, München 1979); **Josef Blaumeiser, München** S. 158 unten; **Jules Stauber, Schwaig bei Nürnberg** S. 159 (aus J. Stauber, Leben und leben lassen, Deutscher Taschenbuch Verlag München 1979); **Ernst Heidemann, Weilrod** S. 163.

FOTOS

Süddeutscher Verlag Bilderdienst, München S. 52 unten, S. 52 oben, S. 58 oben, S. 76 (alle Aufnahmen mit Ausnahme des Jugendbildnisses von Franz Schubert, S. 78, S. 88 (alle Aufnahmen), S. 92, S. 94 (alle Aufnahmen mit Ausnahme der Motorrad-Fans), S. 109 oben links, S. 142 (alle Aufnahmen) **Hotel Tanne, Braunlage/Harz** S. 4 oben; **Hotel Friedegg, Wildhaus** S. 4 unten; **Fremdenverkehrsamt Buxtehude** S. 39; **Gemeinde Braunsbach** S. 104; **Archiv Dr. Karkosch, Gilching bei München** S. 162; **Verkehrsamt der Stadt Köln** S. 170; **Fremdenverkehrsamt der Schweiz, München** S. 166 oben; **Bavaria Verlag, Gauting** S. 10 unten (Klaus Meier-Ude), S. 34, S. 58 unten links (Dr. K. Schmid), S. 166 unten links (Karl Müller); **M. Jeiter, Bremen** S. 10 unten; **Bundesbahnwerbeamt, Frankfurt/Main** S. 16; **Gruner + Jahr, Hamburg** S. 22 oben (F. Killmeyr); **Schweizerische Verkehrszentrale, Zürich** S. 58 unten; **Foto Studio Paulini, München** S. 64; **Bildarchiv Preußischer Kulturbesitz, Berlin (West)** S. 77 oben links; **Mike Schmalz, München** S. 94; **Bildarchiv Deutsches Museum, München** S. 100 oben links, S. 150; **Daimler Benz, Untertürkheim** S. 100; **VW Fotozentrale, Wolfsburg** S. 100; **Bayerische Motorenwerke, München** S. 100; **Ferdinand Porsche Aktiengesellschaft, Zuffenhausen** S. 100; **Deutsche Presseagentur, Frankfurt/Main** S. 46, 105, 172 oben links, oben rechts, unten rechts; **Rudolf Dietrich, München** S. 124; **Michael Moritz, München** S. 125; **Conti Press, Hamburg** S. 149; **Olms Verlag, Hilldesheim** S. 160, 161; **Pressebild + Fotografik Wilhelm Rebhuhn, Bad Segeberg** S. 162 links; **Fremdenverkehrsverein Basel** S. 166 unten; **Jim Cole, Basel** S. 168; **F. W. Holubovsky, Köln** S. 170; **Manfred Glück, München** S. 22 unten, S. 26, 28, 46, 52, 130, 172 Mitte, 185; **Verlag für Deutsch, München** S. 4 Mitte, S. 109 rechts; **Studio Teubner, Füssen** S. 174.

TEXTQUELLEN

S. 77: **Genies in der Schule − Legende und Wahrheit über den Erfolg im Leben** − ist der Titel eines Buches von Gerhard Prause (Econ Verlag, Düsseldorf-Wien), dem Daten und das Zitat von Hermann Hesse entnommen sind.

S. 105: Nach **Guiness Book of World Records**, Ausgabe 1978.

S. 128: Nach **Manfred Schmidt präsentiert: Tolle Erfindungen des 19. Jahrhunderts** (Verlag Gerhard Stalling AG., Oldenburg und Hamburg, 1975). Aus diesem Buch stammen auch die Angaben S. 149 und 150.

S. 141: **Das große Heinz-Erhardt-Buch** (Rowohlt Taschenbuch Verlag GmbH, Reinbek bei Hamburg 1974, Copyright 1970 by Fackelträger-Verlag Schmidt-Küster GmbH, Hannover).

S. 159: **Eugen Roth, Mensch und Unmensch** (Carl Hanser Verlag, München). Daraus auch **Verdienter Hereinfall** auf S. 165.

S. 177: **Karl Valentin's gesammelte Werke** (R. Piper & Co. Verlag, München 1961).